CRISTINA CO
Lucy

© Giangiacomo Feltrinelli Editore Milano
Published by arrangement with Susanna Zevi Agenzia Letteraria
Prima edizione ne "I Narratori" gennaio 2013
Prima edizione nell'"Universale Economica" marzo 2014

Stampa Grafiche Busti - VR

ISBN 978-88-07-88401-6

www.feltrinellieditore.it
Libri in uscita, interviste, reading,
commenti e percorsi di lettura.
Aggiornamenti quotidiani

razzismobruttastoria.net

UNIVERSALE
ECONOMICA
FELTRINELLI

Lucy

In sostanza, solo l'anormalità può evolversi. La norma si estingue. Handicappati, emarginati, alieni e così via, "faranno" l'uomo del futuro.

ALBERTO SALZA, *Ominidi*

Franco e Lucy

Il calore fa fumare il lago, il vento solleva la cenere, piove argento. Steli bruciati nascondono l'orizzonte, dietro l'erba alta spuntano le cime nere dei due vulcani. Silenzio, niente respiri, sulla spiaggia l'orma di un piede piccolo sul bordo dell'acqua.

Africa, forme lontane intorno a un albero al tramonto. Possono chiamarsi donne quelle creature alte poco più di un metro? Piccoli occhi sempre all'erta, bocche in fuori pronte all'urlo. Mammelle con ciuffi di peli come lunghe borse gocciolanti latte, pance chiuse male da ombelichi sfilacciati, ancora tese o flaccide, appena svuotate. Tra le braccia hanno i loro piccoli: zampe, mani, bocche attaccate al capezzolo umido. Non ci sono peni tra loro, quelli di alcuni piccoli sono stati legati e nascosti, glieli taglieranno appena si potrà, nella bella stagione ma prima che torni il nemico. Il nemico è forte, molto più alto di loro, ha pietre aguzze e con quelle tiene ferme le loro braccia pelose. Quando è arrivato, ha gettato lontano i cuccioli che loro avevano cercato di nascondere, i piccoli strisciavano piangendo e succhiavano la terra. Alcuni, scaraventati sui massi, erano immobili come pietre, del liquido rosso colava dalle zampette amputate, dalle teste spaccate come noci di cocco. Sotto l'albero, nella luce arancione del sole uguale a quello che conosciamo noi, nella pace ritrovata delle femmine, il silenzio dei cuccioli senza vita alimenta il loro odio. Appena il nemico è fuggito si sono avvicinate ai corpi usciti affamati dalle loro pance, hanno urlato e ballato per rianimarli, offerto mammelle colme di latte. All'alba c'è stata una grande rissa tra le femmine per accaparrarsi i cuccioli vivi. Poi hanno abbandonato i corpi di quelli senza vita, si sono addormentate sfinite. La più giovane, Lucy, ha chiuso gli occhi e ha sognato il nemico. Vuole che torni, che infili di nuovo il pene tra le sue gambe storte, lei cuccioli non ne ha ancora partoriti, non le sono stati ancora ammazzati. Non sa che tra poco sentirà un frullo sotto la pelle pelosa del suo ventre piatto. Nessuna di loro, neanche il nemico, conosce il mistero del frullo invisibile che si anima all'improvviso nel corpo delle femmine, più potente della forza del nemico e delle loro pietre aguzze.

Smetto di leggere, chiudo il file chiamato *Lucy*.

Sullo schermo le icone di altri lavori: *Una storia che nessuno reclama*, *La storia di me stessa*. Molti anni prima, quando eravamo sposati, Sara mi teneva al corrente delle sue ricerche, delle nuove scoperte, era io a leggere le bozze dei suoi libri. Ora di paleoantropologia non so più nulla. Mi ricordo che in Africa qualcuno aveva ritrovato frammenti di uno scheletro di una giovane femmina ominide vissuta milioni di anni prima. L'unica cosa che mi è rimasta in mente è il suo nome, Lucy. Glielo avevano dato in onore di una canzone dei Beatles, *Lucy in the sky with diamonds*, dovevano essere gli anni settanta.

Mi siedo sul bordo del letto, il profumo di Sara, l'odore della sua pelle, mi riportano in un'altra vita. In quel letto, lo stesso di sempre, abbiamo fatto l'amore, litigato, dormito soli o con i bambini tra noi. Insonni ci siamo odiati a turno.

Durante la nostra vita in comune le era già successo di sparire. Una volta mi aveva lasciato solo con i bambini di pochi anni. Un'altra, in vacanza, era andata via dopo avermi tirato contro piatti e bicchieri della cena. Qualche giorno dopo, tornando dal mare, Alex e Matilde avevano visto i suoi sandali rovesciati sul gradino d'ingresso ed erano corsi in casa chiamandola. Li avevo raggiunti accanto al letto dove Sara dormiva. In silenzio avevano guardato la loro "femmina adulta", così lei stessa parlava di sé, usando parole dei suoi studi. Poi avevano chiuso la porta per lasciarla riposare, erano andati a farsi la doccia. La sera le avevo chiesto dov'era stata.

"Ho sempre pensato a te e ai bambini, se sarei stata capace di vivere senza di voi."

Il letto è rifatto, sul pavimento le scarpe da ginnastica con dentro i calzettoni, sulla sedia un cumulo di pantaloni e magliette, sul comodino una tazza con un fondo di tè nero. Il disordine di Sara, la penna in un taccuino aperto sul letto, fiori secchi in un vaso. E c'è la lettera per me, appoggiata sul tavolo accanto al computer acceso con la spina infilata.

"Devi staccare la spina quando la batteria è carica."

Non ci credeva, come al fatto di chiudere le porte, le persiane.

"I ladri non vengono, qui non c'è nulla da rubare."

Era stato difficile viverci insieme e allevare dei figli.

Rigiro tra le mani la busta bianca, la metto in tasca, decido di non leggerla ora, nella casa di lei in cui non ero mai entrato.

Nel lavello della cucina tre mosche volteggiano sopra una torre di piatti sporchi. Ha lasciato la finestra un po' aperta, forse per la puzza. Sul tavolo prendo i suoi occhiali lasciati su una rivista. Perché non li ha portati con sé? Non c'è niente da leggere lì dov'è andata? Strappo un pezzo di carta dal rotolo e lentamente pulisco le lenti, come ho fatto per tutti gli anni della nostra convivenza.

"Tieni, me li pulisci per favore?, non vedo niente."

La mano tesa, imperativa. Si spazientiva a pulire occhiali, leggere istruzioni, districare grovigli di fili, come avesse poco tempo per fare cose che richiedono precisione. Lascio gli occhiali perfettamente trasparenti accanto alla rivista "Nature". Pulire le sue lenti mi ha turbato, decido di andarmene senza toccare altro.

Attraverso di nuovo il cortile su cui si affacciano un centinaio di persiane chiuse. Alcune rifatte, altre cadenti come quelle dell'appartamento di Sara. Restituisco le chiavi alla portiera.

"Lei è il marito?"

"L'ex."

Quando si sceglie un appartamento, evitare quelli con il portiere.

"Conosco bene i figli della signora: Matilde viene spesso. Alex no, lui lavora in Canada."

"Lo so, sono anche figli miei. Quando è andata via la signora?"

"Ero fuori, mi ha lasciato le chiavi in una busta e un biglietto con su scritto che veniva suo marito a prenderle. Io lei non l'avevo mai vista."

Sudata, grassa, rintanata nella guardiola come un mollusco nel guscio, mi guarda sospettosa. Fuori dal portone arrivava l'aria bollente e polverosa d'agosto.

Mi pare di essermi infilato in un giallo e non mi piace. Non li recensisco mai, li lascio agli altri critici del giornale: la trama è sempre troppo ingombrante e a un certo punto rende schematici i personaggi.

I negozi della strada sono tutti chiusi, dove avrà fatto la spesa? Magari se n'è già andata da parecchi giorni, l'uomo al telefono mi ha detto solo:

"Sara non vuole che i figli sappiano nulla prima che ci incontriamo".

Invece era compito loro cercare di capire che fine aveva fatto la madre. Io torno al mare da Fulvia, da Giovanni che mi urla "papà!" sulla spiaggia e mi toglie dieci anni. Questa femmina adulta non è più la mia da molto tempo.

Sara e Lucy

Dalla finestra del corridoio l'ho visto attraversare il cortile con la valigia, l'ultimo inquilino della mia scala. Non so i nomi e i cognomi, ma li vedo andare e venire e li identifico. In tutto il cortile solo quattro persiane di un appartamento al terzo piano della scala C sono ancora aperte, ma lì non conosco nessuno. Matilde dice che sono diventata scorbutica.

"Fai paura alla gente, mamma, hai quell'aria dura e chiusa."

Ero più gentile da giovane, ora non ho tempo, e poi devo finire di scrivere il racconto. Alcune mattonelle del corridoio sono scheggiate come quelle dietro il lavandino della cucina. Matilde vorrebbe che rifacessi tutta la casa, non devo invecchiare in un appartamento vecchio, dice. Non farò nulla, neanche da giovane tenevo molto alla casa, ho sempre cucinato e pulito solo il necessario. Matilde invece è brava, andare a cena da loro è una festa, la tavola apparecchiata, i cibi, tutto è ricercato e semplice. Lavorano sempre, lei e il marito, i bambini non vengono. Alex neanche si sposa. Dovresti essere contenta, mi dicono, così non diventi nonna. Non sono contenta né scontenta, mi sento lontana. L'unica ragione per cui vorrei essere ancora giovane è tornare in Africa e ricominciare tutto da capo.

Faccio il caffè e poi mi metto a lavorare. Non ho mai avuto caldo, né qui né a Firenze, e neppure in Tanzania. Andavo in vacanza in estate perché gli altri sudavano: mia madre, Franco, i bambini, Giovanna. Io soffro il freddo e odio l'inverno. Mi piace aspettare lo scoppiettio del caffè seduta al tavolo di cucina, la tazzina sciacquata, la zolletta di zucchero nel fondo appena sciolta dalle gocce d'acqua.

Li vedi anche tu, questi infinitesimi dettagli della mia vita? Le mura gialline, i mobili bianchi, una tovaglietta bianca al centro del tavolo. Sono seduta sul bordo della sedia, pronta ad alzarmi per spegnere il gas. Non sono tanto sicura di essere visibile a te o a chiunque voglia entrare in questa estate di solitudine scelta. Mi sento un essere senza conformazione certa ora, ho avuto parecchi uomini, e un'amica, una sola. Molte trasformazioni mi hanno condotto a questo momento. Indefinita bambina, poi le mestruazioni, ho procreato, cercato per decenni di non farmi vedere per quello che ero. Nel mio mestiere meglio non ricordare agli altri che sei una donna, forse in tutti.

Mi piacciono le tendine della mia cucina, sono di lino colore del tè, le vedi? Nel silenzio di quest'attesa del caffè, prima di mettermi a lavorare, devi riuscire a vedermi. Forse intorno a te fanno rumore, o c'è silenzio, è notte o giorno? Quanti anni hai? Intanto ti dico qualcosa di me.

Non amo compatirmi. Ho un fondo di durezza virile, non voglio impietosire né lamentarmi. Mia madre e mio padre lavoravano duro e ci hanno educato alla forza, a me e a mio fratello. Ora Sergio è morto e mi manca perché lui sapeva tutte queste cose che provo a raccontarti. Il nostro piccolo passato infantile è successo tanto tempo fa e oggi mi sembra di essere più intima dell'australopiteco che studio da quarant'anni. A ragionare su milioni di anni, si sottovaluta l'importanza dei decenni. Comunque siamo cresciuti nella periferia di Firenze, loro lavoravano in una fabbrica tessile dove si erano conosciuti, noi andavamo a scuola. La domenica mangiavamo insieme e dopo si faceva la passeggiata.

Difficile avere ricordi così a freddo. Se tu fossi qui ti offrirei il caffè che è venuto bene, ma così a distanza, senza conoscerci...

Stamattina vorrei chiacchierare un po' con qualcuno, anche se fin dai tempi della scuola è proibito. Quando abitavo con Giovanna ogni scusa era buona per smettere di lavorare: dolcetti, gelati, caffè, tè, una telefonata, una frase, i figli, Franco... No, di Franco no, né con lei né con altri. Franco è un argomento muto.

Anni che vivo sola, mi sembra sempre di parlare con qualcuno che non risponde, come le bambine con la loro bambola.

Ora mi spoglio, non ti scandalizzare, il cortile è deserto e le tende sono tirate. Non soffro il caldo, ma d'estate si sta meglio nudi. Solo il caffè è buono caldo, ma finisce sempre troppo in fretta.

Il corpo è meno scheggiato delle mattonelle, ho gambe magre, seno grande e lotto contro la pancia. Da giovane, prima dei figli, con il ventre piatto, ero uno schianto, non esagero. Il corpo meglio del viso irregolare, e poi gli occhiali non piacevano a tutti. Spogliata e senza occhiali ero al meglio, anche se non vedevo nulla del corpo dell'uomo con cui facevo l'amore. Ho subìto qualche delusione quando li inforcavo e lui andava in bagno. L'incontro col corpo dell'uomo è dentro di me, non so renderlo oggettivo, non so parlarne senza toccarlo di nuovo, a occhi chiusi, e se lo accarezzo viene fuori di nuovo il mio, dal suo, in un groviglio stretto. Gli uomini ne scrivono correntemente, parlano del loro pene, descrivono i tempi, le tette, le cosce delle loro amanti. Per me è un insieme fluido di ricordi e al centro c'è sempre il mio corpo, la fessura liscia tra le gambe di bambina, e poi il seno identico a quello di mia madre, il sesso nascosto dai peli che ho visto bene una sola volta con l'aiuto di uno specchio.

L'unico problema con la nudità è che quando ti siedi al tavolo davanti al computer, e accavalli le gambe, si formano pieghe sul ventre, sulle cosce, sui fianchi. Ora vado a nuotare due volte la settimana, sono muscolosa e la pelle è ancora tesa, ma quando ti siedi non ci sono trucchi. La piscina ad agosto non chiude, per fortuna.

Alcune cose sul mio lavoro: sono una paleoantropologa, insegno all'università ma questo è il mio anno sabbatico. Ho studiato e scritto tutta la vita sugli scheletri degli ominidi ritrovati dagli anni venti fino all'altro ieri in Etiopia, Kenya, Tanzania, Sudafrica. A ogni scoperta di un nuovo australopiteco ci sembra di aver trovato l'ominide che ha preceduto il genere *Homo*. La trasformazione delle ossa del bacino delle femmine che serve per far passare più agevolmente bambini con il cranio sempre più grande, i piedi adatti alla camminata bipede, i denti, sono elementi di analisi, studi, lezioni, articoli che ci arrivavano da ogni parte del mondo. Ho studiato sul campo in Tanzania, prima di sposarmi. L'Africa orientale e meridionale è un grandioso ossario di ominidi da quattro a due milioni di anni fa. La discussione da una parte all'altra dell'Atlantico riguarda le cause dell'improvvisa accelerazione evolutiva che in poco tempo, solo tre milioni di anni, ha portato il cervello degli ominidi ai livelli di *Homo sapiens*.

A un certo punto della mia carriera, ero da poco incinta di Alex, ho avuto un'intuizione, un'idea che però non ho mai avuto il coraggio di perseguire veramente. Questo anno me lo sono preso per rileggere gli articoli, le carte, i grafici e lasciarmi andare a immaginazioni solitarie di cui voglio scrivere. Sì, hai ragione, l'ho pensato anch'io, è un modo per diventare pazza: da sola, in questa casa cadente, preda di immaginazioni sulla nascita dell'essere umano. In realtà non giro proprio a vuoto, ho anche un contratto per un racconto ambientato nella savana, tre milioni di anni fa. Me lo ha commissionato un'amica americana con cui ho collaborato in passato e che ora dirige una rivista di fantascienza. Devo consegnarlo alla fine dell'estate e ora è bene che mi metta a scrivere.

Il calore fa fumare il lago, il vento solleva la cenere, piove argento. Steli bruciati nascondono l'orizzonte, dietro l'erba alta spuntano le cime nere dei due vulcani. Silenzio, niente respiri, sulla spiaggia l'orma di un piede piccolo sul bordo dell'acqua...

No, aspetta ancora un momento, ti prego. Non so cosa mi succederà in questo mese di agosto, caldo, negozi chiusi, fantasticherie, il mio corpo nudo e i ricordi degli uomini che lo hanno amato. Ma se so che sei lì, che aspetti di conoscermi e non ti lasci prendere troppo dagli altri personaggi di questa storia – ce l'hanno tutti con me in mille modi –, allora mi sento meno sola.

Franco e Giorgio

Sorseggia il caffè e non dice nulla. Abbiamo avuto la stessa donna in tempi diversi: a me è toccata la ragazza, la madre dei miei figli, a lui l'amante matura, indipendente.

Ma non era qui che si incontrava con Sara, lui cambia casa spesso, ha avuto molte ragazze come quella che ora si sta facendo la doccia. Di là l'acqua scorre su un corpo giovane, massimo trent'anni, lui ne ha sessanta come me. Anche Fulvia è più giovane di me, altrimenti non avrei potuto avere il mio ultimo bambino.

Giorgio mi chiede se Alex e Matilde sanno, se sono andato alla polizia, se ho richiamato l'uomo che mi ha telefonato. Gli tendo la lettera, lui la apre e si mette leggere.

Il modo di parlare di Sara mi ha innervosito tutta la vita, ha sempre capito tutto prima degli altri, gli uomini, le donne, il mondo, e pensa che tu non ci sei mai arrivato e non ci arriverai mai. Ho letto la lettera nell'unico bar aperto che ho trovato sulla strada da casa sua a quella di Giorgio, il caffè era liquirizia liquida. La voce dietro le parole scritte era piena di dolore, non era la sua o forse poteva assomigliare a certi toni di quando aveva bevuto.

L'ultimo periodo del nostro matrimonio, dopo il vino a tavola si versava uno o due whisky e diventava addolorata e polemica. Distruggeva frasi innocue, ne vedeva tutto il male, si accaniva su una parola, ragionamenti sconnessi che dicevano sempre: ci stiamo lasciando, tu mi stai abbandonando, il nostro matrimonio è finito. E aveva ragione.

Giorgio mi guarda con la lettera tra le mani. Gli dico: "Non sembra sua, vero?".

Non ci aveva pensato.

"Te lo saresti mai immaginato, io e te qui a leggere una lettera di Sara?"

A Giorgio interessa il lato sentimentale della vita.

"L'uomo al telefono mi ha detto che Sara non vuole che Alex e Matilde sappiano niente finché non parlo con lui."

Si accende una sigaretta e la cenere gli cade sulla pancia stretta dalla camicia, non serve a niente abbassare l'età delle ragazze con cui stai, invecchi ugualmente. Giorgio lavora al centro di produzione della Rai, non sono i turni che lo fanno fumare e mangiare troppo, è la cattiveria con cui lo hanno estromesso da ogni struttura. Lui dice perché non è di nessun partito politico, io penso che sia troppo sentimentale per darsi da fare. La ragazza viene a salutarci, mi tende la mano e lo bacia affettuosamente sulla fronte come farebbe sua figlia se ne avesse una. Forse anche a lei è mancato il padre.

Giorgio la segue con lo sguardo, aspetta che chiuda la porta.

"A che ora ti ha dato appuntamento, dove?"

"Domani all'una, davanti a un centro sportivo."

In sequenza pensa: bisogna chiamare la polizia, no, non si può prima di aver parlato col tizio, lei chissà dov'è.

Mi tende la lettera.

"Perché non ti sembra scritta da lei?"

Leggo ad alta voce.

"*Mi batte il cuore per una fantasia banale, non riuscita. Vorrei essere altrove, avere rispettato chi amo, conoscere me stessa e questi impulsi infantili. Eppure il cuore mi batte, va da solo, domina anche queste parole buttate giù per te in fretta in una stanza calda e vuota. Il letto però l'ho rifatto, è il mio letto di sempre, anche di questi giorni di fatica e di insonnia. Ripar-*

tire dal primo battito, quello che ha condizionato tutti gli altri, ma non è più possibile..."

Alzo lo sguardo su di lui.

"Potrebbe scrivere una cosa del genere quando è ubriaca."

"Non l'ho mai vista bere. Io invece riconosco il suo modo di parlare fremente."

"Fremente? Sara è razionale, spiritosa, rabbiosa... un po' matta, semmai."

"Fremente e lirica."

Non abbiamo conosciuto la stessa donna, ma con me è stata sposata dodici anni, con lui ha fatto l'amore per un anno dopo che ci siamo lasciati.

"Cosa devo fare? Devo dirlo a Matilde e ad Alex? Cosa vuol dire quello che scrive alla fine della lettera?, *Lasciami andare, non parlare con nessuno, solo con chi ti telefona.*"

"Ne stai parlando con me."

"Tu la conosci bene."

"Come stava Sara?"

"Non mi parla da cinque anni. Matilde mi ha detto che aveva preso l'anno sabbatico, che stava scrivendo... Ma non ha portato con sé gli occhiali, non è strano?, non ci vede niente senza."

Non sa cosa dirmi.

"Forse ne ha un altro paio."

Mi alzo, intasco la lettera.

"Vado al mare da Fulvia e aspetto domani."

"Dove sono Alex e Matilde?"

"Alex è sempre in Canada, a Montreal. Matilde è da noi al mare col marito."

Si alza anche lui col posacenere in mano, come tutti i fumatori odia l'odore delle sigarette spente.

"Cosa vuoi che faccia?"

"Se arriva qualche notizia... a te in redazione arrivano prima. Ho provato a richiamare il numero da cui mi ha telefonato quell'uomo, è staccato."

"Cosa pensi?"

"Niente, ha preso una decisione, se ne va, non vuole farlo sapere subito ai ragazzi, dice a quello di telefonarmi e di spiegarmi. Perché proprio a me, mi chiedo."

"Sei suo marito."

"Ex, è la seconda volta che lo dico oggi."

Mi avvio verso la porta.

"Che ci fai in città ad agosto? E la ragazza?"

"Sono di turno fino alla prossima settimana, poi partiamo." Mi accompagna alla porta. "Leggo le tue recensioni, vivi nei libri, riesci a fare qualcos'altro?"

"Ho un bambino."

"È vero, quanti anni ha?"

"Cinque."

Mi abbraccia sorridendo.

"Allora è all'asilo, e ci vai alle riunioni di classe?"

La città è sporca, polverosa e puzza. Sono sudato e ora in macchina, con l'aria condizionata, mi prenderò un colpo. Mezzogiorno, per strada non c'è nessuno, poche auto con i finestrini chiusi e solo il guidatore. Se ti succede qualcosa ad agosto, ti scoprono al rientro dalle vacanze.

Perché mi hai fatto questo? Non abbiamo più legami al di fuori dei figli, non ci vediamo neanche una volta all'anno. Mi disprezzi per il matrimonio e il bambino, non ti ricordi il giorno del mio compleanno, hai regalato l'album di fotografie a Matilde. Una volta ti ho visto in un parco, camminavi dritta senza guardare nessuno. Hai sfiorato con lo sguardo Fulvia, Giovanni nel passeggino, hai finto di non riconoscermi. Ti ho visto invecchiata, e mi sono sentito la mia età.

Eri più giovane di me, ora siamo coetanei. Mi hai sposato col vestito verde acqua, i capelli sciolti. Ti ho fermata tra un viaggio e l'altro, me lo hai sempre detto. Non volevo che andassi più in Africa a spolverare ossa di primati.

"Non sono primati qualunque, sono ominidi."

Non fa niente, preferivo vedere le ossa nuove del nostro bambino che si formavano dentro di te. La prima ecografia di Alex, nella cartellina c'era la sua fotografia e parole indimenticabili: *All'interno della cavità gestazionale è visibile un feto di cui si apprezza l'attività motoria e quella cardiaca.* Apprezzavo moltissimo, sul marciapiede mi sono messo a piangere e sono corso a casa, la nostra prima casa, da te che mi aspettavi vomitando. Ci siamo addormentati abbracciati, perfettamente felici.

Perché hai dato a quell'uomo proprio il mio numero?

Ti ho odiato molte volte, anche ora mentre nell'auto mi si gela il sudore addosso. Dopo dieci anni sei diventata autoritaria e io ho perso il potere che avevo su di te all'inizio, ti comportavi come se tu avessi scoperto il trucco e deciso di dettare nuove regole. Non siamo più riusciti a fare l'amore, mesi, poi un intero anno, diventavi pazza perché non ne avevo voglia. Ci sono regole, Sara, che non si possono cambiare, mi dispiace. Per questo io sono stato capace di risposarmi e tu no.

Accosto al marciapiede, un pericolo si avvicina, sento l'atmosfera triste degli ultimi anni di vita in comune. I nostri figli ci guardavano entrare e uscire di casa, tu andavi a prenderli a scuola, io tornavo prima la sera per cenare con loro, mentre ti preparavi per la serata senza di me. La tua amica Giovanna ti aspettava, il tuo scudo, in modo che io non potessi dire nulla, che non ci fossero litigi. Una volta è successo ugualmente. Era estate, hai messo il vestito verde acqua, allora sono uscito sbattendo la porta. Hai pensato fosse gelosia, per questo te ne andavi in giro la sera senza di me, per farmi ingelosire, ma io sapevo che finivi in qualche casa con le altre del tuo gruppo di donne, nessun uomo tra voi, era ancora me che volevi, ma io non più. Il vestito mi aveva semplicemente ricordato il giorno in cui ci eravamo sposati.

Fine anni ottanta, il nostro matrimonio era finito. In giro nessuno lottava più per nulla, tu e io ci siamo adeguati: abbiamo smesso di lottare per restare insieme. Di lì a poco, anche del tuo gruppo di donne, nella tua vita senza marito, sarebbe rimasta solo Giovanna.

Spengo l'aria condizionata, abbasso il finestrino, tiro fuori di nuovo la lettera dalla tasca. *Lasciami andare...* Dove? Compongo il numero dell'uomo che mi ha chiamato. È staccato. L'aria nell'auto si sta riscaldando, devo decidere se tornare al mare e aspettare domani o se c'è qualcosa da fare, un posto dove cercarla ora. Mi ricordo un romanzo, un giallo anomalo letto molti anni fa, *La promessa.* La trama si è dileguata, i nostri cervelli non possono tenere tutte le storie che leggiamo, in particolare il mio che ne assorbe una decina al mese. Nitida però è ancora l'idea di fondo del racconto: non esiste un meccanismo logico che porti un investigatore a comprendere nel momento giusto la verità dell'accaduto. Il più delle volte nella realtà non si arriva in tempo.

Così forse è inutile ragionare per sapere cosa è successo a Sara, perché mi ha scritto una lettera d'amore e l'ha lasciata in casa sua, chi è l'uomo che mi ha chiamato. Abbasso lo sguardo sulle prime parole, una volta dalla calligrafia si capiva lo stato mentale di chi scriveva, se la mano era tremante, le linee dritte. Ora abbiamo davanti il senso ambiguo di parole che scriviamo tutti nello stesso modo.

Franco caro, ho preso la decisione di andarmene e voglio dirlo a te, non al padre dei miei figli ma all'unico uomo che ho conosciuto bene e amato.

Come se i decenni non fossero passati. Mi ricordo di almeno due uomini oltre Giorgio con cui è stata per anni, uno era ricco, viaggiavano e lei mi lasciava i figli adolescenti e ribelli che odiavano Fulvia e ci tormentavano.

Non voglio darti il carico della mia partenza, ma penso che tu solo puoi capirla fino in fondo. Ho scelto un uomo molto tempo fa, abbiamo deciso di vivere insieme, di fare dei figli. Ho pensato di essermi allontanata da quella scelta e invece oggi so

che sono rimasta sempre lì e il nostro fallimento è stato il mio
e quello di tutti questi anni senza di te.

Un ricatto, a Fulvia, al bambino e ai nostri figli, non devo cederle. Domani vado all'appuntamento e stasera forse ne parlo con Matilde. Ha deciso di andarsene per un po' e me lo sbatte in faccia come un addio definitivo e carico di senso. Non pensa che esiste una realtà oltre il suo pensiero, oltre i sentimenti del suo momento.

Riaccendo il motore e l'aria condizionata, sollievo, leggerezza. Le strade deserte, lascio la città, la sua casa, il suo mondo troppo intenso per me. Mai stati compatibili lei e io. Fulvia è giovane ma ha capito come sono fatto già dai primi mesi, non mi piace interpretare i silenzi, le incomprensioni, le diversità, meglio ritrovarli la sera, sotto le coperte e risolverli in altro modo. Non mi avrai, Sara, neanche questa volta.

Alex, Matilde e Giovanni

Come sta mamma, l'hai sentita? No, sono preoccupata, da due giorni la cerco e non mi risponde, a te ti ha chiamato? Una settimana fa. In realtà mi aveva avvertita che alla fine del mese voleva isolarsi e finire di scrivere. E allora di che ti preoccupi? Papà? Bene. Com'è il tempo da te? Uno schifo canadese, e da voi? Fa molto caldo, in spiaggia c'è un sacco di gente. Che fai durante il giorno, Alex?, racconta. Fino alle sette in laboratorio, la sera ora esco con una ragazza. Dai, dimmi chi è, quanti anni, è bella? Sembri mamma, vuoi sapere troppe cose, non le so neanche io. E tu, tuo marito? Perché non venite qui a vivere anche voi, lavorate, fate bambini, qui è facile. Lo sai, Alex, io e te ci parliamo solo quando cerchiamo mamma e non la troviamo, è così, no? Come se lei ci impedisse di avere un rapporto diretto. Però alla fine la troviamo sempre. E smettiamo di telefonarci. Tu le assomigli, ti chiedi sempre un sacco di cose, Matilde. Anche qui in Canada mamma mi ossessiona, mi scrive mail, mi telefona, ora è una settimana che non la sento. E tu mi chiami per sapere dov'è, non per chiedermi come sto. Ti vedo abbronzata, hai i capelli più lunghi. E tu invece sei pallido come un verme. I vermi sono pallidi? Mi manchi Alex, ma hai deciso di restare sempre lì? No, forse a Natale vengo a trovarvi. È agosto, Alex! Sei crudele, non hai sentimenti per la tua famiglia, per la tua sorellina. Ora fai la faccia tragica di mamma. Non le assomiglio affatto!, tu sei uguale a lei, solo che sei superficiale come papà. Se lo dici tu... raccontami di papà, di Fulvia, del nostro fratellino. Vuoi veramente che ti racconti? Qui va in scena il teatrino degli innamorati, la favola dei genitori incantati dal piccolo genio tardivo nato dalla coppia più bella del mondo...

...la mattina ci alziamo presto perché Giovannino si sveglia alle sei e poi il mare tardi gli fa male. Tutti in spiaggia alle otto, papà dice che la vacanza si fa per stare insieme e dopo me ne andrò con mio marito in viaggio da soli, e aggiunge: non siete contenti?, non c'è nessuno a quest'ora, dopo arrivano le masse. Al mare Alfredo casca dal sonno e si riaddormenta istantaneamente sulla sedia a sdraio, al sole. Papà lo guarda con disapprovazione perché non nuota quanto lui, non gioca col bambino, non legge i giornali, non li commenta, non si dà da fare. E guarda male anche me perché mi sono scelta un marito addormentato, e invece di giocare col mio fratellino leggo un romanzo preso dalla pila che lui deve recensire. Il bambino è meglio di loro, sta zitto, li fissa e capisce tutto: che Fulvia è una madre tardiva e impaurita, e papà un padre rincoglionito e un marito troppo vecchio. Alfredo mi ha chiesto: ma era così anche con voi? Sono scoppiata a ridere. Ti ricordi, Alex, com'erano con noi? Si svegliavano tardi, alle dodici al mare, spiaggia libera fino a sera. Costruivano una capanna con gli asciugamani, pizza a pranzo, acqua, nudi, felicità. Sulle rocce staccavamo le telline col coltello per mangiarle crude, quante volte ci siamo feriti e leccati il sangue come vampiri. Se ne andavano a passeggiare da soli e ci lasciavano "a badare alle cose", non a noi ma alle cose. Non vedevano mai pericoli per noi, anche se tu non aspettavi altro che sparissero per spingermi sott'acqua. Riemergevo sputando e piangendo. Quanto mi hai tormentato, Alex!, ma oggi vorrei averti qui. Potremmo sparlare di questi due come facevamo con i nostri genitori. Ci siamo dispersi tutti e quattro, un cannone ci ha sparati nello spazio e siamo ricaduti in posti estranei, viviamo senza memoria della nostra infanzia, della loro giovinezza. Mi manchi Alex, se non avessi te, anche lontano dove sei, perderei la prima fetta della mia vita e sarei come i vecchi, quando gli muoiono tutti intorno e non hanno più nessuno con cui ridere e piangere...

...Matilde! Ci sei ancora? A cosa stavi pensando? A te, a noi due, a loro. Ancora?! Sono venuto fino in Canada per non pensarci più. No, tu sei andato lì perché hai un laboratorio perfetto e ti puoi concentrare sui canini degli ominidi e non pensare ad altro. Sei andato lontano ma sempre lo stesso mestiere di mamma fai, caro. Tornassi indietro sceglierei antropologia culturale, oppure niente antropologia, fisica. Il nostro mestiere in comune le dà la scusa di scrivermi e mandarmi i suoi pezzi, dice che si fida solo di me. Lo sai che sta lavorando a un racconto di fantascienza sul passaggio dall'ominide al genere *Homo*? Lo so, me ne ha parlato. Ogni volta che comincia un nuovo lavoro cerca qualcuno con cui parlarne. Ma l'hai capita l'idea che ha in testa? No, con me non parla di contenuti. La sua tesi è questa, ascolta: Africa, tre milioni di anni fa, qualcosa succede agli ominidi e ai loro cuccioli, forse a una sola coppia, o a più coppie sparse nella savana, in pochissimo tempo, poco meno di due milioni di anni, cioè nelle ultime ore dell'ultimo giorno se pensi all'intera storia della Terra come a un anno, diciamo intorno alle nove e mezzo della sera di Capodanno. Ecco, in quelle ore avviene qualcosa di enorme che produce l'inizio di quello che siamo. E mamma che ha pensato? Aspetta, chi c'è lì?, è passato un bambino... Vieni Giovanni, vieni in braccio, guarda nel computer, ecco lì, così ti vede anche lui, quel verme con i capelli lunghi è tuo fratello Alex. Ciao, Giovanni! Come stai, che fai, hai fatto il bagno nel mare? Dimmi qualcosa. Voglio la merenda. Ah, solo questo mi dici? Sì, solo questo, ha fame, vado a dargliela. Me la racconti un'altra volta la scoperta di mamma. Sì, anche se poi è abbastanza vicina alla merenda di Giovanni. Ciao Giovanni, ciao sorella. Ciao, Alex.

Sara

Devo mettere a posto, lavare i piatti, caricare la lavatrice e stendere i panni. Non diventare una barbona. La domenica, l'idea che Matilde può piombare senza avvertire frena il mio desiderio di immobilità assoluta. Ma ora è fuori anche lei. Potrei aspettare stesa sul letto i cambiamenti della luce che entra dalla finestra e illumina il comò di mia madre. Addormentarmi e risvegliarmi al battito d'ali di un piccione nel silenzio del cortile. Fermarmi su pensieri inconcludenti di tanto tempo fa, quando i bambini erano piccoli, o ancora più indietro nei secoli quando con mio fratello siamo entrati nella pasticceria di via dei Calzaiuoli a Firenze e con i nostri risparmi abbiamo comprato un dolce per il compleanno di mamma. E lei ne aveva fatto uno e si è offesa. Sfiorarmi un seno e pensare ad Alex neonato che mi ciuccia la tetta e non stacca gli occhi seri dai miei. Guardandolo pensavo ai miei ominidi africani, a una femmina nascosta nell'erba alta, occhi vigili a ogni rumore di un possibile predatore, mentre allattava anche lei il suo cucciolo. Nella stanza da letto della nostra prima casa non mi sentivo più tranquilla della donna dal cervello piccolo nella savana. Tutti sanno che gli scimpanzé sono i nostri antenati, ma quando spolveri tutti i giorni canini e molari di ominidi e ricostruisci i loro crani allungati, e misuri le ossa del bacino delle femmine, te li senti tanto vicini da dubitare di essere tu che li studi e li guardi. Ti senti orbite piantate addosso da altri te stesso a milioni di anni di distanza, e nasi camusi, bocche sottili e serrate a chiedersi: tu saresti il mio scopo, quello che devo diventare? La domanda si rovescia.

Una notte ho sognato di essere nel corpo di un'ominide pelosa alta un metro e venti. Camminavo con Matilde attaccata al fianco e Alex per mano. Tutti nudi seguivamo un maschio con le chiappe strette e appese. Immagino fosse Franco, non si voltava e non mi aspettava. Lui avanti e io dietro, a guardare in giro se c'erano semi, radici o pezzi di ossa da raccattare a cui succhiare il midollo per i miei piccoli. Lo tenevo d'occhio perché facilmente confondeva una femmina con l'altra, per lui eravamo tutte uguali. La notte, raggomitolati sotto un'acacia, gli mettevo sotto il naso Alex, così imparava a conoscerne l'odore e a non scambiarlo con un altro cucciolo. Ci giocava un po', ma appena era stanco me lo restituiva. L'importante era seguirlo e non perderlo, lui poteva fare a meno di me, io no. Altri maschi avrebbero subito ucciso i miei cuccioli, scaraventandoli su una pietra, e forse li avrebbero anche mangiati avidamente. Mettevo i piedi nelle sue impronte. Il terreno lavico dell'ultima eruzione era morbido come plastilina. Sempre nel sogno, all'improvviso ridiventavo un'antropologa e mi guardavo camminare con i miei cuccioli, dietro il mio ominide, pensando che quelle erano le impronte che avrei trovato tre milioni di anni dopo. Premevo con più forza il piede nudo nella terra, stringevo Matilde al fianco e accarezzando la sua testa da scimmiotta spelacchiata dicevo alla me stessa di oggi:

"Non ti credere, sapevamo camminare ed eravamo buoni genitori, anche amanti insaziabili".

Devo tirarmi su e reagire al caldo e alla stanchezza. Ho scritto fino alle tre stanotte, più tardi telefono ad Alex per parlarne un po' con lui. Si sente solo in Canada, non lo dice ma lo so. Non ha una ragazza fissa, va scopando in giro. È quello che ha sofferto di più della separazione, anche se non vuole mai parlarne. Impossibile pensare ai figli senza sentirsi in colpa. Dovrebbe essere soltanto un uomo amato e lontano, uno studioso come me, un ricercatore. Ma in un cassetto della scrivania ho conservato il suo primo dentino da latte. Franco diceva che era la mia malattia dei reperti. Forse, la malattia del passato: se si tenessero davanti agli occhi i ricordi, tutti insieme, concreti come dentini bianchi, non ci si lascerebbe mai.

Mi alzo per combattere i sentimenti debordanti. Nascono nelle nature come la mia, rigide e passionali. Che bello fare la pila delle lenzuola e dei cuscini sul davanzale della finestra, solo un po' prima che l'aria bollente riscaldi tutta la casa. Tengo le finestre chiuse fino a sera. Che esperienza la solitudine completa, non conosco nessuno rimasto in città. La portiera mi ha indicato l'unico supermercato aperto, a metà mese anche lei partirà per una settimana. A ferragosto sarò sola nella mia scala, se avessi bisogno di qualcosa mi ha detto di suonare alla scala c interno 5, c'è un uomo di ottant'anni malato di Alzheimer con una badante. Bella compagnia. L'importante è avere un programma giornaliero: metto una tuta, faccio la sacca e vado in piscina. Torno, mangio un'insalata davanti al telegiornale, mezz'ora di siesta, un caffè e riprendo a scrivere. Alle cinque il tè. Diamoci un appuntamento tu e io. Diciamo dopo aver nuotato, alle due, per il caffè?

Matilde, Giovanni, Fulvia e Alfredo

Amo il mio fratellastro Giovanni o lo odio? Gli ho messo davanti lo yogurt e lui si infila in bocca il cucchiaino troppo pieno, ai due lati della bocca ha due perfetti baffi rosa. Glieli tampono con il tovagliolo di carta.

"Mangia piano, non te lo ruba nessuno sai."

Alex mi rubava il cibo dal piatto e forse lui teme che io faccia lo stesso.

"È buono?, me lo fai assaggiare?"

"No."

Fratelli, ma con lui non ho familiarità. Fulvia non me lo fa tenere mai, non vuole che dorma fuori casa, non si fida della famiglia, dietro di noi vede mia madre. Se mamma avesse avuto un altro figlio sarebbe stato diverso, lei me lo avrebbe lasciato sempre, forse sarebbe nato quando ero ancora a casa e io gli avrei dato il biberon, lo avrei cambiato e salvato dal disordine materno. Alex mi ha lasciato sola con mamma appena ha potuto, ha scelto l'università fuori e a me è toccato piangere con lei in cucina quando si sentiva sola la sera, ascoltare i ricordi della vita con papà o quelli dei viaggi con Ettore, prima che si lasciassero. Poi per fortuna è arrivato Alfredo a salvarmi e a portarmi via.

Prendo Giovanni in braccio e gli sciacquo la bocca e le mani. Papà dice che mi assomiglia, anzi, dice che è proprio identico a me da piccola. Lo dice con fierezza, per farci sentire fratelli, ma anche per escludere mamma, come mi avesse procreato senza di lei. E Giovanni senza Fulvia. Papà non ama le donne, le desidera, non può vivere da solo, qualche volta si sottomette anche, ma in fondo le donne lo sorprendono sempre e gli fanno perdere tempo. Da bambina una volta mi ha detto una cosa molto inquietante:

"Matilde, tu sei l'unica donna che ho mai amato".

Non mi è piaciuto. Non ero una donna e sentivo che quando lo sarei diventata non l'avrebbe più detto.

Alfredo dorme ancora, sarà vero che dorme troppo come dice papà? Fulvia dov'è?

"Mamma dov'è?" mi chiede Giovanni come mi avesse letto nel pensiero.

"Andiamo in giardino a cercarla."

Fulvia legge all'ombra e sorride al bambino senza alzarsi.

"Gli hai dato la merenda, grazie."

"Figurati. Papà?"

"Dovrebbe essere già tornato."

Giovanni intinge le mani nell'acqua della sua piscina di plastica, lo guardiamo tutt'e due senza parlare. Il bambino evita tra noi rese dei conti o silenzi imbarazzanti. Chiede alla madre se può fare il bagno e Fulvia gli dice di aspettare un poco.

"Alfredo?"

"Dorme."

Non può fare commenti. Una volta, in un periodo in cui mamma ci aveva lasciato da loro si è permessa di dirmi che ero troppo piccola per truccarmi e papà l'ha fulminata con lo sguardo. La sera hanno litigato, con Alex abbiamo registrato le urla e l'indomani le abbiamo fatte riascoltare a papà, dicendogli che non era la donna giusta per lui. Lui ci ha fatto riaccendere il registratore e ha urlato contro di noi come una bestia.

"Così siamo pari, neanche voi siete i figli adatti a me."

In questo è stato bravo, ha tenuto testa a noi e a lei. Gli abbiamo organizzato un inferno in casa, in quel mese. Alex soprattutto era molto creativo, aveva quindici anni e già molto talento per gli esperimenti chimici e per il calcio. Ha spaccato lampade, bruciato con intrugli la fodera del divano, rotto con una pallonata vari esemplari della collezione di gatti che Fulvia aveva cominciato da bambina. Eppure lui restava il suo preferito, era chiaro il perché: io ero mia madre, anche se assomigliavo a papà. Su di lei, mai una parola, neanche una domanda, come fosse morta. La vita di papà cominciava dal giorno in cui lui e Fulvia si erano baciati uscendo dal giornale, lei era una delle segretarie, più classico di così. Ora che si è licenziata e sta a casa – in attesa di un altro lavoro, dice – legge i libri di papà e fa l'intellettuale.

"È un buon libro, ho detto a papà di recensirlo."

Ha detto a papà... poveretta. Do uno sguardo alla copertina che ha girato verso di me.

"Non ci pensi a riprendere a lavorare, Fulvia?"

Sorride, non è stupida.

"Mi sto guardando attorno. Vorrei aprire una libreria per bambini, ma ci vogliono soldi. Comunque non prenderò mai un lavoro che mi tiene lontano troppo tempo da Giovanni. Anche Franco è d'accordo."

Vuol dire "non come tua madre che se ne andava in Africa appena poteva e vi lasciava soli a casa a prepararvi da mangiare e una volta avete anche dato fuoco alla cucina".

"E tu a fare un bambino non ci pensi?"

È così Fulvia, sorridendo colpisce.

"Ci stiamo provando, ma se non viene pazienza. I primi tempi, ogni mese ci restavo malissimo. Ora non me ne importa niente, ho tanto da lavorare e i bambini non sono tutto."

Annuisce guardando il suo che getta erbe e rami nella piscina. Dalla portafinestra Alfredo ci guarda mezzo addormentato. Dovrei fare un bambino per lui. E se non viene? Se fossi incapace di restare incinta? Mi alzo e gli vado incontro, lo abbraccio.

"Non trovo mamma da due giorni. Il telefono di casa squilla a vuoto e il cellulare è spento."

"Nell'ultima telefonata ti ha detto che voleva scrivere, che si sarebbe fatta viva lei."

"Sì."

"E allora? Mi faccio un caffè, lo vuoi?"

Se ne va urtato, la dipendenza da mia madre lo innervosisce. Mi siedo sullo scalino della portafinestra. In giardino Fulvia ha ripreso la sua lettura, Giovanni gioca accanto a lei. Quando mi libererò di mia madre, dell'idea che è sola e triste? Da bambina quando usciva piangevo, pensavo che senza di me si sarebbe sentita abbandonata. E invece lei se la spassava con le amiche, con uomini che non ho mai conosciuto. Mi mancava sempre, anche quando sono andata via di casa. Lo avevo desiderato tanto e invece la chiamavo ogni sera, e se non rispondeva mi preoccupavo. Se non esce dalla mia vita non rimarrò mai incinta. È un'idea assurda, eppure ne sono convinta: devo smettere di essere sua figlia. Non mi è bastato il lavoro, Alfredo, la mia casa. È sempre lei al centro dei miei pensieri e se ora mi dicesse, vieni, ho bisogno di te, correrei. Non passa mai l'ansia d'amore finché sei tu a inseguire. All'uscita da scuola era sempre l'ultima ad arrivare, correva verso di noi, i capelli in disordine, il cappotto aperto, ci prendeva in braccio insieme per farci passare la rabbia per il ritardo.

"I miei ragazzi!"

Ogni tanto partiva e noi restavamo vedovi, prima con papà e poi soli con Giovanna o qualche baby-sitter improvvisata. Sbarravo i giorni della sua assenza sul calendario. E poi, quando era già tornata da un mese, mi arrivava una cartolina dall'Africa. Mi veniva un colpo, correvo da Alex piangendo, mamma è ripartita?, e invece l'aveva imbucata nella cassetta vicino a casa, perché quando era fuori se n'era dimenticata.

"Pensavo che ti avrebbe fatto piacere riceverla lo stesso," mi rispondeva.

Cosa aveva mamma nella testa? Papà, certamente, per molto tempo. Lo odiava perché se n'era andato, ma quando era qui non lo lasciava in pace. Cosa voleva da lui, da noi? Sapere se aveva un'altra donna, se era ingrassato, com'era la sua casa. La domenica sera ci tormentava con le domande. La prendeva alla lontana.

"Cosa avete fatto oggi con papà?"

Sembrava una domanda banale, affettuosa, distratta. Ma Alex e io eravamo furbi e all'erta. Ci eravamo specializzati nelle risposte evasive. Mai dire il nome del ristorante o il film che avevamo visto. Il dato preciso le faceva venire le lacrime agli occhi subito, si accendeva una sigaretta.

"Avrei tanto voluto portarvi io, è un film che avrei assolutamente voluto vedere con voi."

Se cadevamo nella trappola di riferirle i dettagli della nostra vita con papà, eravamo finiti. Partivano i ricordi, il dolore, le vacanze, le serate, i giochi che facevamo con loro quando stavano insieme, i viaggi, le fotografie. La storia di una vita senza il finale: la ragione per cui si erano lasciati. Una domenica notte, l'interrogatorio lacrimante era andato avanti fino all'una. Avevo chiuso gli occhi, la testa appoggiata sul tavolo della cucina. Alex ascoltava paziente, quando era ragazzino aveva una capacità unica di ascoltarla in silenzio. A un certo punto l'aveva interrotta perché crollava dal sonno anche lui.

"Se la vostra vita insieme era così meravigliosa, mamma, perché vi siete lasciati? Potresti parlare con lui la sera, noi domani dobbiamo andare a scuola."

C'era stato un lungo silenzio, avevo tirato su la testa spaventata. Eravamo seduti intorno al tavolo, come sempre, e lei fissava un punto nel buio del corridoio, come se papà potesse comparire da un minuto all'altro. Poi era ritornata tra noi, ci aveva guardato e si era alzata per mettere via i piatti. Non ha mai risposto a quella domanda. La stessa che tempo dopo avevo posto a papà. Lui invece era stato veloce e sintetico come al solito.

"Non andavamo d'accordo."

Tra il silenzio di lei e la risposta netta di lui c'era una distanza inesplorata. Alex appena finita la scuola non aveva più voluto sentirne parlare, e poi ci aveva messo l'oceano in mezzo. Io invece sono qui, seduta sul gradino della casa di mio padre e di Fulvia, pronta a piangere ora come sempre su una storia d'amore che non è la mia.

Alex

"Sono un antropologo che lavora per una ricerca odontoiatrica, non le sembra buffo?, sarebbe stato meglio essere un dentista, avrei guadagnato il doppio. Mia madre, fortunata lei, andava a Laetoli, in Tanzania, culla dell'evoluzione, dove hanno trovato impronte di più di tre milioni di anni fa. A me invece tocca Montreal, dove gli esseri umani sono arrivati per ultimi. Volevo essere un esploratore come lei, invece simulo al computer le trasformazioni dell'arcata mandibolare, il rimpicciolimento dei premolari e dei molari, e faccio ipotesi sul destino dei nostri denti. Le opportunità della tecnica: molti mezzi applicati a cazzate. Mi pagano, è l'essenziale, e Montreal d'estate è bella. Anche Jacqueline, la conosco da poco ma per qualche settimana so con chi uscire la sera. Sempre tra maschi è una noia, e in laboratorio sono tutte sposate. Dopo una decina di scopate con la stessa donna non riesco più a eccitarmi. Ho coscienza che si tratta di una malattia, non creda, ma non voglio guarire né subire prediche. Me ne sono andato dall'Italia anche per questo."

"Perché è venuto da me?"

"Non dormo mai."

"Mai?"

"Una o due ore a notte, e la cosa strana è che non mi sento stanco. Vivo, lavoro, mangio, scopo, ma non dormo.

Ho fatto gli esami del sangue, mi hanno visitato, sto bene. Ma non dormo."

"Se sta bene, perché si preoccupa?"

"Perché tutti gli esseri umani dormono. Potrei essere un mutante, uno di quelli con il gene hDEC2 sballato e che dormono solo quattro o cinque ore a notte, ma io dormo molto meno ormai da tempo. L'ultimo anno in cui ho dormito regolarmente – mai tantissimo, intendiamoci – avevo diciannove anni, preparavo la maturità. L'anno dopo mi sono iscritto all'università fuori sede. Ho preso un appartamento con degli amici, da allora non ho mai più dormito. Faccia il conto."

Un bello studio che affaccia sul porto, un italo-canadese elegante dell'età di mio padre. Non mi sento stanco, gli ho detto la verità, ma ho parlato troppo, come al solito. È un medico, capirà, ma insomma gli ho spiattellato tutto lì subito, mi devo controllare.

"Le sembra che parlo troppo?"

"No, perché?"

"Quando conosco qualcuno, mi pare che non avremo niente da dirci finché non gli avrò raccontato di me. Non sono egocentrico, non creda, chiedo molte informazioni anche sugli altri. Non sempre me le danno, sono reticenti, non a tutti piace rispondere alle domande. Con mia sorella Matilde facevamo un gioco da bambini. Tenevamo un archivio delle persone che conoscevamo. Ovviamente l'idea ci era venuta dall'archivio di mia madre, cercavamo di sapere i dettagli della vita di ognuno, i gusti, le abitudini più strane e le scrivevamo sui foglietti. Ci dava molta soddisfazione, non so perché. E facevamo anche bella figura con gli amici dei miei genitori o con i nostri, ci ricordavamo tutto di tutti."

Sto parlando troppo, devo rallentare.

"Si chiama terapia comportamentale quella che fa lei, vero?"

"Opero principalmente con due sistemi: il flooding e il neurofeedback."

"Anche voi non state male come tecnica applicata a caz-zate. Mi scusi, non intendevo dire che il suo lavoro è una cazzata, neanche il mio lo è. Solo che tutti questi termini, e poi scopri che dietro magari c'è solo uno spazzolino con cui strofini un canino. Mi scusi, non volevo offenderla ma..."

Non si è offeso, è abituato ai matti veri.

"Il flooding consiste nel mettere il paziente di fronte a una sua fobia, a fantasie o realtà collegate alla fobia, ad andarci dentro senza paura finché l'ansia non diminuisce. Il neurofeedback è una macchina che registra l'attività cerebrale e restituisce l'informazione dell'elettroencefalogramma sotto forma di barre colorate su cui si lavora insieme."

"Sulle barre?"

"Le barre sono onde lente o rapide su cui si può intervenire per far cessare l'ansia."

Ha preso un tono freddo, sulle barre dev'essersi offeso, devo dirgli qualcosa che lo rallegri.

"Le barre sono perfette per me! Vede, io non ho nessuna intenzione di passare anni dietro ai ricordi, alla famiglia, al passato. Sono venuto in Canada proprio per questo, per recidere, zac! Per vivere qui, in questa città gigantesca, con il fiume e le navi che vanno e vengono, tutto enorme, colorato, ben tenuto, efficiente. Qui non si parla sempre di legami, di affetti, di famiglia. L'Italia è malata di questo. Lei conosce l'Italia? Mi scusi, dimenticavo che lei è italiano, e allora sa benissimo che lì da noi tutto finisce in famiglia. Mia madre, giusto per farle un esempio, mi chiama ogni settimana, mi racconta del suo lavoro, che poi è anche il mio, tranne che, come le ho già detto, io lo applico alla ricerca sui denti. Mia madre mi parla come se non fossi mai andato via, come se abitassi nella casa accanto, che dico, come se dormissi nella cameretta in fondo al corridoio. Ora lei penserà che è stata una classica madre italiana, che cucinava e ci comprava le maglie di lana. Tutto il contrario, se n'è sempre fregata altamente di noi, adorava il suo mestiere e mio padre. Poi lui l'ha lasciata e noi, io e mia sorella, siamo diventati ingombranti per lei. Il nostro frigorifero era sostanzialmente sempre vuoto. Faceva la spesa una volta ogni due mesi, Matilde e io andavamo avanti a pizza e panini. Non fa niente, in fondo siamo cresciuti lo stesso. Lavoriamo, mia sorella fa l'agopuntrice, è sposata, non ha figli. Io sono venuto qui. Mio padre è un critico letterario, si è risposato e ha un bambino di cinque anni. Lui è riuscito a rifarsi una famiglia. Per carità, io non ci tengo affatto a sposarmi e a fare figli. Come le ho detto non riesco ad avere un legame con una donna per molto. Ma non sono venuto qui per curarmi di questo, gliel'ho già detto, sono venuto perché non dormo. Oddio, devo aver parlato troppo anche ora, che dice? Volevo solo dirle che le barre vanno molto bene per me."

Dà un colpetto di tosse e si alza, dev'essere finito il tempo.

"Se vuole può prendere un appuntamento con la mia segretaria."

"Pensa che sia grave, il fatto che non dormo?"

"La terapia comportamentale è molto adatta all'insonnia, si hanno molti successi."

Potrei diventare un successo, almeno in questo. La porta si chiude, e la ragazza all'ingresso mi sorride con una fantastica dentatura. Non è bella ma ha lunghe mani e immagino che possa far bene certe manipolazioni. A forza di prendere appuntamenti, quando con Jacqueline sarà finita magari possiamo uscire insieme per un po'. O forse è già l'amante del dottore. O forse lo è stata e ora è libera. Il passato delle donne non è molto interessante, le devi far parlare, per cortesia e perché altrimenti non ci stanno, ma in fondo si tratta sempre della stessa storia: stavo con uno, ci siamo lasciati, ora sto con te. E poi si ricomincia.

Le strade sono così pulite anche nella Petite Italie. Sono sicuro che i miei parenti mi immaginano sfrecciare la domenica mattina in lunghe avenue e ponti sospesi sul fiume, a bordo di una grande auto. Mi piace che lo pensino, ma in realtà conosco ancora poco la città in cui abito da quattro anni. Mio padre è venuto qui con Fulvia e li ho portati in giro per posti che non avevo mai visto. Mi ero documentato, e un mio collega del laboratorio ci ha accompagnato con la sua auto perché tutto risultasse più naturale e fluido. Si chiama Alon, è ebreo e taciturno, andiamo d'accordo perché sono sempre io a parlare a mensa, lui ascolta e mangia. Quando gli ho detto che doveva aiutarmi a far conoscere la città a mio padre e alla sua seconda moglie, mi ha risposto subito di sì. Ha una famiglia numerosa dispersa per il mondo e chiunque viene in Canada va da lui. Ha tirato fuori le guide, i vari tour che aveva organizzato per i suoi, e abbiamo fatto un bel programma per il mio papà. Sempre meglio avere un estraneo tra me e lui, da adulti non abbiamo più avuto molta intimità, più con Fulvia, in genere con le donne. Con mia madre anche troppa. Lei ha detto che un giorno verrà. Quattro anni che sono qui, ancora non si è vista. Quando rientro in Italia ci incontriamo sempre nella stessa casa, la sua. Il primo anno sono tornato tre volte: Natale, Pasqua, estate. Adesso qui mi sento sicuro e tranquillo. Il laboratorio, il mio monolocale vicino al parco, Le Petit Italien dove cuociono bene gli spaghetti al pomodoro e i fusilli al ragù, la bicicletta d'estate che mi porta da un punto cardinale all'altro, le gambe di una nuova ragazza, diverse da tutte quelle che ho già visto. Le gambe delle donne erano una fissazione di Truffaut, ma anche la mia. Nessun viso femminile esprime tanta personalità, le gambe e i piedi delle donne sono parlanti. Non solo le gambe lunghe e ben fatte, proprio tutte, potrei indovinare il carattere di una donna dalle gambe. Quelle di Jacqueline sono tonde, il ginocchio non è ben delineato e ha due fossette intorno alla rotula. La immagino bambina grassottella e timida, intelligente, anche disperata, ma bastava una cioccolata calda o saltare la corda con le amiche e recuperava il buon umore. Non potrei farle del male in nessun modo, per questo non voglio che si affezioni a me, e neanche io a lei. Non sono maturo per i sentimenti, così dice mia madre. Pensa sempre di sapere e capire tutto. Mio padre, prima di ripartire per l'Italia, mi ha chiesto se il collega dell'università che ci ha accompagnato era il mio fidanzato, ha aggiunto che a lui non importava niente se ero omosessuale, purché fossi felice. Generoso. Gli ho risposto che ero commosso, che in effetti è così, che le ragazze erano coperture, che stiamo insieme da due anni e che qui possiamo anche sposarci. Gli ho raccomandato di non dirlo a mamma.

"Quando sarà il momento preferisco dirglielo io, sai com'è lei."

Era felice che avessi avuto il coraggio di confessarlo solo a lui, ma anche che considerassi mamma una reazionaria. Mi ha abbracciato. Ho sempre amato il dopobarba di papà. L'ultimo Natale ero al tavolo di cucina con mamma, come ai vecchi tempi, e le ho raccomandato di non parlare a papà delle mie avventure con le donne.

"Di te mi fido e so che mi capisci."

Mi ha preso la mano attraverso il tavolo. La mano larga di mia madre che reggeva il libro di lettura, correggeva i compiti, mi dava schiaffoni quando picchiavo Matilde, si asciugava gli occhi appena parlava di papà, toccava la mia fronte quando pensava che avessi la febbre. Mi ha sorriso.

"Con papà non parlo da millenni, non è mai stato in grado di capire nulla dei rapporti umani, soprattutto di quelli tra uomini e donne."

Sara

Bevi il caffè finché è caldo. Così diceva Giovanna quando smettevamo di lavorare per fare due chiacchiere. Ho i capelli bagnati, mi stenderò sul letto a riposare solo quando saranno asciutti, altrimenti mi viene mal di testa. Stasera chiamo Alex, è una settimana esatta che non lo sento. Ho cerchiato sul calendario i giorni in cui gli devo telefonare, così non me ne dimentico. Lui dice che la mia chiamata lo angoscia, in realtà quando la salto si preoccupa e mi cerca. Mai come Matilde, che mi telefona ogni giorno. Ho cercato di educarla alla libertà e ho raggiunto lo scopo contrario. La domenica:

"Che fai mamma, sei sola? Vieni da noi a pranzo".

Non sono riuscita a farle capire che non ho problemi con la solitudine, ma con il vuoto d'amore, e quello i figli non l'hanno mai riempito.

Matilde è attaccata a me più di Alex. Quando Franco e io ci siamo separati, si alzava di notte e si infilava nel mio letto. Una volta mi sono svegliata all'improvviso e ho visto due fanalini nel buio che mi fissavano.

"Hai fatto un brutto sogno?" le ho chiesto.

"Ti lamentavi nel sonno," mi ha risposto.

Una figlia così non me l'aspettavo, non la meritavo. Da bambina la sera mi faceva trovare sul lavandino lo spazzolino pronto col dentifricio, il letto aperto e la camicia da notte come negli alberghi. A dodici anni già sapeva cucinare, per disperazione, perché io non so fare nulla. A quindici, quando tornavo dal lavoro aveva apparecchiato e messo insieme una cena decente. Giovanna diceva che ero stata fortunata anche con i figli, a me sinceramente Matilde faceva venire i sensi di colpa.

Non pensare male, sono sempre stata fiera di lei. A scuola era la prima, tutte le insegnanti chiudevano il colloquio con le stesse parole:

"La figlia che ogni madre vorrebbe avere".

Il problema era forse che non mi sentivo responsabile di quella bravura, mi sembrava una sottolineatura delle mie poche virtù domestiche. Mia madre invece adorava le attitudini femminili di mia figlia e diceva sempre che aveva preso da lei. Quando Matilde andava a trovarla a Firenze passavano le giornate a cucire e a fare torte. Nel modo di studiare invece ci rassomigliavamo. A me è sempre piaciuto immergermi nei libri più che insegnare, e anche lei da ragazzina era rapida nei compiti. Al contrario di Alex che era lento e si distraeva. Poi, dopo la scuola, tutto si è rovesciato: lui si è laureato ed è diventato ricercatore, lei ha preso solo un diploma da agopuntrice. Non si è voluta iscrivere all'università, chiudeva la bocca a me e al padre con la stessa frase:

"Quello che cerco ora non è nei libri".

E così fratello e sorella si sono scambiati di posto. Lui prendeva tutti trenta e lei passava ore a truccarsi, a laccarsi le unghie, a lavorare una eterna coperta all'uncinetto che ora copre il suo letto coniugale. La cosa incredibile è che quando l'ha cominciata non conosceva ancora Alfredo. Nei due anni in cui ha lavorato a quella moltitudine di quadrati di lana colorati e li ha cuciti insieme, mentre la coperta le si allungava sui piedi, ha fatto in tempo a conoscerlo e a sposarlo. Dimostrazione che ci accade ciò che vogliamo. Me lo ripeto spesso quando penso alla mia vita, al mio matrimonio e a tutto il resto.

Oggi ho fatto trenta vasche: due a rana, due a stile libero, due a dorso e poi ricominciavo. Eravamo soli in piscina, io e un altro nuotatore, più il bagnino che faceva le parole crociate. Nella piscina vuota, tra una bracciata e l'altra vedevo la forma lontana del corpo che andava e veniva nell'ultima corsia. Poi è uscito. Sulla scaletta ho sbirciato gambe magre da ragazzo, con peli scuri a ciuffi. Ho fatto la doccia e mi sono rivestita nello spogliatoio deserto. Fuori, accanto a una moto posteggiata davanti all'entrata, un uomo col casco infilava una sacca nel baule, forse era lui il nuotatore solitario.

Smuovo i capelli al sole, sono corti e l'henné gli dà quel colore rossastro che hanno tutte quelle che un tempo erano brune. Certi giorni mi sembra di avere ancora molte cose da capire e da fare. Certi altri c'è un muro davanti a me, e dei programmi di ogni giorno non me ne importa nulla. Come quando Matilde ha smesso di studiare, quello che cerco non lo trovo più nei libri. Per questo ho preso l'anno sabbatico, per dedicarmi al racconto, a un'idea che mi era venuta tanti anni fa e a cui non avevo dato seguito. Non ho mai creduto di avere un talento da scopritrice e mi fidavo poco della mia intuizione. In questo si riconosce la mia origine umile, i genitori operai. Ero molto meticolosa in Tanzania, il metro quadrato di terreno che toccava a me lo lavoravo ore in ginocchio. La sera, sotto la tenda, non sentivo più il collo e i muscoli delle braccia. Scavavo piano con la cazzuola, e se c'era qualche rilievo sospetto lo lavoravo tutto intorno delicatamente con il punteruolo, pulendo di continuo col pennello. Non tralasciavo nulla, e prima di rimuovere un'infinitesimale superficie per passare allo strato successivo cercavo di conoscere ogni granello di terra e la forma di ogni zolla. Poi, dalla cenere solidificata spuntava la corona appuntita di un dente, o il lato di un sasso lavorato da una mano ancora rozza, il cui pollice non si era allontanato abbastanza dall'indice per essere abile come la mia che ne riesumava l'artefatto. Allora guardavo, misuravo, disegnavo ogni più piccolo dettaglio del fossile e cercavo di tenere a freno l'entusiasmo. Non ero capace di sintesi veloci e geniali come Franco. La sua famiglia lo aveva cresciuto tra i libri, io me li ero comprati uno dopo l'altro, con i pochi soldi che i miei mi davano il sabato. La prima volta che ero entrata nella casa dei suoi genitori, mi ero incantata davanti alle librerie stracariche dove non c'era più uno spazio libero, davanti alle pile di volumi e giornali. Franco è giornalista come il padre, anche se dice di essere un critico. Sua madre non ha mai lavorato. Le nostre genitrici si sono incontrate pochi mesi prima del matrimonio, hanno parlato poco, si sono strette la mano con un sorriso forzato. La piccola mano rozza e rigida di mia madre in quelle lunghe e delicate della sua. E mi era venuto in mente di misurare la distanza tra pollice e indice dei due esemplari di donna. La sera, nella mia casa infinitesimale che mi dispiaceva lasciare, mia madre si era stesa sul letto accanto a me. Nel silenzio ascoltavamo mio padre russare in poltrona davanti alla televisione. All'improvviso lei aveva sussurrato una frase diversa da tutte quelle pratiche che le avevo sentito dire durante la nostra vita in comune:

"Molte cose le prenderai da lui, ma molte di più le capirà lui con te".

Iniziammo a parlare, non lo avevamo mai fatto. Tutta la notte, senza stanchezza e senza noia, mi avrebbe dato la prova concreta che il silenzio di un individuo può nascondere riflessioni e profondità. Non saprei ripetere le sue frasi, come rispondeva alle mie domande, il colore delle parole, le espressioni fiorentine. Usò anche il gergo tessile per descrivere il mio futuro. Prima del matrimonio voleva annunciarmi questo: che le unioni tra diversi sono le più interessanti ma anche le più pericolose. Da antropologa traduco che fanno andare avanti la specie sulla pelle dei due protagonisti, ma mia madre aggiungeva anche, alludendo a lei e a mio padre, che le coppie che si formano nello stesso ambiente sono destinate all'estinzione futura. Il russare continuo di mio padre sembrava convalidare questa seconda affermazione. Non c'era dunque molto da scegliere.

Durante il nostro matrimonio, i quattro genitori si sono visti pochissimo. Alle nascite, ai funerali. I miei sono morti prima, erano andati in pensione, mio fratello e io abitavamo in altre città. Avevano cominciato a mangiare troppo, a bere troppo, a non faticare più, non avevano amici perché si erano dedicati tutta la vita al lavoro, alla casa e ai figli. L'idea stessa di una vacanza sembrava loro di un altro mondo. Mio fratello e io gli avevamo regalato una crociera in Grecia. Una primavera s'imbarcarono. Li vedo avanzare sulla scaletta, appesantiti e lenti, sorridevano: avevano a lungo combattuto quella stramberia, ma ora sembravano divertiti come due bambini che salgono per la prima volta sulla ruota del luna park. Con quel viaggio mi ero alleggerita dai sensi di colpa: finalmente un'avventura anche per loro. Li pensavo nella loro cabina di prima classe, a cena nella sala da pranzo principale. Mia madre avrebbe indossato il suo unico vestito nero, con il colletto punteggiato da piccoli strass. Mio padre si era portato la giacca e la cravatta. Li vedevo arrancare sulla salita del Partenone, davanti ai templi di Delfi, scendere a Rodi. Il film che avevo in testa veniva dai miei viaggi negli stessi posti e da scene di avventure sul Nilo alla Poirot. Questa era la fantasia più corrispondente alla realtà: mio padre fu sbarcato con un infarto, dovuto al troppo mangiare, diceva mia madre. Nell'ospedale di Atene, lui invece sosteneva che era stata lei a costringerlo a salire sotto il sole fino in cima alla collina del Partenone. Mia madre piangeva e lui le dava addosso senza pietà. La prima e unica avventura aveva messo in luce la loro incapacità di affrontare una vita diversa. Fuori da Firenze, dalla loro casa, dalle abitudini, si ritrovavano nemici. Non erano abbastanza elastici per reagire alle novità. A mio padre misero un by-pass, ma fu mia madre a morire per prima e lui la seguì dopo un anno.

I miei ex suoceri camparono invece fino a novantanove lei e ottantanove lui. Una famiglia di filippini si occupava di loro. Vivevano nella stessa casa ma non lo sapevano più. Franco aveva organizzato due appartamenti completamente autosufficienti, due camere, due bagni, una cucina comune. Non c'erano più libri in casa: Franco li aveva portati nel suo studio perché la polvere faceva male all'enfisema del padre. Tutte le storie lette nella vita erano sparite dalle librerie e dalle loro menti. Sapevano ormai anche poco di loro stessi, piccole fissazioni che ripetevano sempre, dettagli che a tutti sembravano inutili. La famiglia filippina aveva preso possesso della casa. Una sera Franco li trovò tutti intorno al tavolo, a fine cena, cantavano *Tanti auguri* a uno di loro, con la stessa tovaglia, gli stessi piatti e bicchieri dei nostri compleanni. I miei suoceri erano stati messi rispettosamente a capotavola come capostipiti della nuova famiglia. Una delle badanti accarezzava la mano della mia ex suocera che era stata un leone e ora aveva paura di tutto. Vedendo Franco si alzarono tutti in piedi intimiditi, lui gli fece segno di sedersi, di continuare a cantare, di non badare a lui. Me lo aveva raccontato Matilde.

Dopo la separazione avevo smesso a poco a poco di andare a trovare mia suocera. Non volevo fare ingelosire mia madre. Per la stessa ragione, anche in tutti gli anni che andavo lì con i bambini avevo cercato di non legarmi troppo a lei. Mi sembrava bellissima e mi innervosiva l'amore assoluto che aveva per Franco. Quando eravamo sole, dopo mangiato, nella casa addormentata, mi parlava di sé, della sua vita libera. Alludeva a incontri, uomini e donne, amici, amanti, non faceva distinzione. Ai viaggi. Del figlio e del marito non parlava mai, come avesse vissuto due vite distinte e solo a me volesse raccontare quella nascosta. In lei ritrovavo il distacco di Franco, l'eleganza e anche la mancanza di scrupoli che io attribuivo sempre all'agio, ai libri, alla ricchezza. Franco non aveva sensi di colpa per i suoi genitori. Avevano occupato quello spazio sociale da generazioni, la casa, le frequentazioni, le vacanze, i viaggi; e quello dei libri: le storie, la Storia. Erano al riparo dalla volgarità, dalle piccole esistenze degli altri.

Una volta, l'ultima volta, decisi di andare a trovarla. Non dissi nulla a Franco. Era già nato il suo bambino, non ci eravamo più visti. Tra le mie lettere ne avevo ritrovata una di mia suocera. Me l'aveva scritta in un periodo in cui ero andata in Tanzania per un mese e avevo lasciato i figli a Franco. Nella lettera non me lo rimproverava, sapevo che si dava da fare per aiutarlo, che spesso i bambini dormivano da lei. Franco invece era furibondo, per farmi sentire in colpa non mi scriveva e non mi telefonava. Ogni sera cercavo un telefono per parlare con Alex e Matilde. Nella lettera mia suocera mi raccontava dettagliatamente di loro – la scuola, i capricci, i giochi che facevano insieme. Della febbre che avevano avuto e superato. E poi c'erano le frasi conclusive: *Invidio il tuo lavoro Sara, tienitelo stretto anche se Franco e i bambini soffrono la tua lontananza. Darei in cambio la mia vita per essere lì dove sei.*

Andai a trovarla. In casa non c'erano più quadri alle pareti né oggetti di valore. Mio suocero era già morto e Franco con la sua nuova famiglia si era evidentemente trovato in difficoltà economiche. Era una casa spettrale e vuota. Una donna filippina mi faceva strada nelle stanze che non riconoscevo più. Nella sala da pranzo, il lungo tavolo delle feste era sparito. Al centro della stanza vasta e vuota ce n'era uno piccolo, coperto da una tovaglietta, con un piatto, un bicchiere e un cucchiaio. Pensai che era mezzogiorno e che a quell'ora, un tempo, facevamo mangiare insieme i miei figli piccoli. Ora era lei la bambina da imboccare. Nella sua stanza non era cambiato nulla. Il grande letto dove mettevamo a riposare i suoi nipoti, le fotografie del figlio, del marito. La toletta con i cassetti pieni di anelli e collane con cui giocava Matilde. Dalla finestra alta su una delle colline della città si vedevano i tetti, le cupole e le nuvole. Lei guardava fuori. Mi misi a sedere sul letto, le diedi un bacio sulla fronte e le presi la mano. Pensavo alla lettera, alla mia lontananza di allora, alla sua lontananza di ora da tutti, a come sarei stata io alla sua età. Poi lei iniziò a muovere un dito della mano che tenevo tra le mie, pensavo fosse uno dei piccoli gesti inconsulti della malattia, finché la liberò con forza e m'indicò il comodino. Dietro le scatole delle medicine c'era una mia fotografia ingiallita di tanti anni prima con Matilde e Alex bambini, sul balcone di quella stanza. Dietro i nostri visi, i tetti, le cupole, le nuvole. Lei ci teneva forse così dentro di sé, o invece aveva voluto segnalarmi proprio il contrario: com'era lontana quella fotografia, quanto tempo era passato, i bambini diventati adulti, Franco e io ormai estranei. E lei? Lei chi era per me? La nonna dei miei bambini o c'era ancora tra noi l'intesa nascosta delle confidenze tra donne alla fine dei pomeriggi di festa? Quella zona nascosta di libertà e di indipendenza che ci univa dietro le spalle dei nostri uomini. Avrei voluto chiederle se la pensava ancora come mi aveva scritto nella lettera, o se invece si era convinta che i miei viaggi in Africa, il lavoro, le mie inadeguatezze di madre, avessero prodotto la separazione da suo figlio. Se non la disturbava che fossi andata a trovarla, se c'era qualcosa tra noi che non era cambiato, come il cielo della fotografia.

I capelli si sono asciugati e ora nel programma ci sarebbe il riposo prima della scrittura, ma credo che lo salterò. Ho urgenza di lavorare al racconto. Il ricordo della lettera della mia ex suocera mi fa sentire l'odore della terra vulcanica di Laetoli, il calore che sale dal Lago Eyasi al tramonto. I miei tre ominidi – l'uomo, la donna e il bambino appoggiato sul suo fianco – si allontanano verso l'ignoto. Il vulcano dietro le loro spalle erutta lapilli e cenere, indietro non si può andare, gli altri sono dispersi, davanti ai tre si apre il futuro che non conoscono: la loro morte individuale, la nascita di tutti noi. Non ci sono altre tracce davanti ai loro piedi, solo una infinita distesa di cenere umida. Segnano per primi il cammino, la direzione casuale che diventa il nostro destino. Il punto esatto in cui Hadza e Lucy (li ho chiamati così nel racconto, prendendo in prestito nomi reali e di altri scheletri ritrovati) appoggiano il tallone già umano che li tiene eretti segna la direzione di tutti noi. La mia ominide aveva piccoli piedi, solo venti centimetri. Il suo compagno arrivava a ventiquattro. Ma le orme di lei affondano di più nella cenere umida, come portasse un peso, un bambino. Lucy è alta un metro e ventiquattro. Hadza poco di più, arriva al metro e quaranta. Questa coppia è il punto di arrivo del racconto che si svolge più di tre milioni di anni fa, quando ancora non c'erano le parole: lui procede avanti, lei dietro col bambino sul fianco, la trasformazione che li porterà a essere altro da quello che sono è già accaduta, ma non ne hanno coscienza.

Giorgio

Dai condizionatori nei soffitti dei corridoi cola acqua, la moquette si stacca, molti uffici sono chiusi, e se ti capita di aprire una porta che non è la tua trovi vecchi tavoli di montaggio abbandonati, nastri, raccoglitori vuoti. Devi andare dritto fino alla tua stanza, aprire la porta, infilarti dietro la scrivania, accendere il computer e fare finta di lavorare fino all'ora di pranzo. Ad agosto c'è poca gente anche al secondo piano, dove si va in onda. Pochi servizi, immagini rimontate e il giornalista di turno che cerca di inventarsi qualcosa. Ogni tanto scende qualcuno e mi chiede un'informazione su un animale, un uomo politico o una regione geografica.

Sara Fiore. Digito il suo nome, anche se non so cosa cercare. C'è una Sara Fiore su facebook, ma è una ballerina. Aggiungo *antropologa* e si apre la pagina dell'università, istituto di Paleoantropologia, e il suo corso con l'annuncio che la professoressa sarà assente per l'intero anno e il nome di chi la sostituisce. Scorro articoli di Sara su ominidi africani, la trovo citata in uno studio americano e poi scopro un video, un'intervista in coda a un convegno. Sara risponde alle domande sul ritrovamento di nuovi scheletri di australopitechi in Sudafrica. Non è bella Sara, ora me ne accorgo, ma per anni ho cercato di afferrarle la mano mentre tagliava il pane o faceva il caffè durante una delle cene improvvisate a casa loro. Non cucinava mai lei, se ne occupava Franco. Sara apparecchiava, tagliava il pane e faceva i piatti a cena finita. Poi tornava tra noi, spalmandosi la crema sulle mani, si stendeva sul divano con la testa in grembo a Franco che parlava di libri o di politica. Lo guardava dal basso in alto come a me non era mai capitato con nessuna donna, lo ammirava, lo ascoltava. La pace tra loro durava per un po', lei in silenzio mentre lui raccontava. Poi, come fosse finito un incantesimo, Sara si tirava su, si accendeva una sigaretta e iniziava a discutere. Non le piaceva il modo in cui lui demoliva un romanzo, il suo cinismo o il fatto che si faceva sedurre dalle mode o che non era capace di parlare d'altro. A me che li conoscevo bene e che avevo visto così spesso la stessa scena, sembrava l'effetto di un veleno a tempo. Prima lo sguardo amorevole dal basso in alto – gli toglieva una briciola dal pullover, una volta si era tirata su e gli aveva dato un bacio sul collo –, poi tutto cambiava all'improvviso.

Sara si mette a sedere, fuma, lo contraddice, lo guarda con rabbia. Franco è imbarazzato, qualche volta la prende a ridere e lei si infuria ancora di più. Altre reagisce e lei sta zitta per un po', poi se ne va a dormire senza salutarci. Non sempre succede, molte serate finiscono bene: Sara si addormenta in grembo a Franco, o lo prende in giro bonariamente.

"Perché non ci provi tu a inventare una storia?"

"Non è il mio mestiere."

Scherzano, lei dice che è la parte pratica dell'antropologia che la interessa, toccare la materia, mettere insieme i dati in laboratorio, andare dentro ogni dettaglio, anche quello che sembra inutile. Non potrebbe mai fare a meno dell'osservazione diretta, lavorare solo sui libri. Lui le risponde che è tanto pratica nel suo lavoro quanto poco a casa, che una volta ha trovato il fossile di un dente nella minestra. Lei ride e lo picchia dicendo che non è vero. Si amano questi due, lo vedi dal modo in cui parlano l'uno dell'altra. I difetti del carattere, le imperfezioni fisiche sono le loro zone erogene, e li immagini nudi, nel caldo del letto coniugale, alla ricerca di parti nascoste a tutti. Quelle sere di armonia tra loro, quando Sara va in cucina a fare il caffè, la seguo e guardo le mani grandi, non curate, con cui avvita la macchinetta, tira fuori dall'armadio le tazzine spaiate, e ho sempre lo stesso desiderio da anni: prenderne una tra le mie. Una sera lo faccio. Lei non allontana la sua, non appoggia neanche il cucchiaino che ha appena preso dal cassetto. Mi fissa per un po', poi mi dice una frase che mi è tornata in mente molte volte, quando si sono lasciati, l'anno in cui siamo diventati amanti, e ogni volta che esco con una ragazza nuova:

"Non riuscirei a rifare il cammino con altri, troppo faticoso".

Ed è stato così, non si è risposata. Ha avuto altri uomini, uno sono stato io, ma non ha mai voluto abitare con nessun altro. Neanche con Ettore, l'industriale dei cerotti che aveva conosciuto in Africa. Giovanna lo odiava, aveva sopportato Franco, ma l'industriale dei cerotti era troppo. Sara le lasciava i bambini quando partivano insieme e un giorno, al suo ritorno, hanno litigato e non si sono mai più riviste. Quando non erano più amiche, per qualche mese sono andato a letto anche con Giovanna. Mi raccontava che Ettore era piatto e banale e portava Sara in giro per il mondo con i soldi che aveva fatto incerottando l'umanità. Mi descriveva il loro incontro in Africa, come glielo aveva raccontato lei. Durante uno dei suoi ultimi viaggi di ricerca, mentre lui partecipava al classico safari nel parco naturale di Ngorongoro, Sara era uscita dalla sua tenda, lui era in un angolo a bere da una fiaschetta di whisky, su una roccia la sagoma della guida Masai con il mantello rosso. La notte africana, gridi e scalpiccii nella pianura.

"Nella notte mi tese la fiaschetta, si sentiva un po' Hemingway, voleva sapere del mio lavoro, mi ammirava, ne avevo bisogno."

Franco diceva che a Giovanna gli uomini non piacevano, che era sempre stata innamorata di sua moglie. Si sbagliava, almeno per il sesso, anche se il nostro principale argomento di conversazione era Sara, l'amica che l'aveva tradita, l'amante che mi aveva lasciato. In quel periodo abbiamo condiviso ricordi e desideri. I risentimenti ci eccitavano, come parlare della loro separazione. Abbiamo capito di averla desiderata entrambi per la stessa ragione, portare via Sara a Franco, fare in modo che la smettessero di litigare ed essere felici. Penso che Giovanna e io soffrivamo della stessa malattia: eravamo innamorati delle vite degli altri. Per quanto mi riguarda ho sempre avuto l'idea di non essere in grado di arredare un appartamento, sposarmi, fare figli. Mi sarei volentieri occupato di Alex e Matilde, quando Franco se n'è andato di casa, avrei anche abitato con lei, ma senza cambiare un solo mobile, un piatto, un bicchiere. La loro casa mi piaceva perché erano loro due ad abitarla. Seguire le orme di qualcuno, occupare il suo posto è la mia vocazione.

Sul computer scorro le altre pagine, cerco il suo nome in articoli, immagini. Le cretinate che si attraversano nel web andando dietro a un nome sono incredibili. *Sara Fiore* diventa *il fiore di Sara, Sarà il fiore, fiore del giardino di Sara, Sara è il fiore all'occhiello*... non c'è limite alle associazioni. Nel mio lavoro, quando mi chiedono un'informazione, non rinuncio ad andare avanti fino alla fine, scorro le pagine fino all'ultima, anche se non c'è più traccia di quello che cercavo all'inizio.

Iscriviti a facebook per connetterti con Sara Fiore, ballerina. Sul mio profilo vedo se per caso è già tra i miei amici, ma di ballerine non ne ho. Mi piace l'idea di chiedere l'amicizia a un'altra Sara Fiore che non c'entra nulla con quella che conoscevo io. La foto è di una giovane donna magra che fa una spaccata e sorride, è stata nel corpo di ballo della Rai (anche lei qui), vive a Roma, stato sentimentale single. Le chiedo l'amicizia, non so neanche io perché. Mi accendo una sigaretta. Il vetro della finestra è opaco, tutta la televisione italiana lo è. Fuori comunque non vedrei nient'altro che gli uffici di fronte e lo spiazzo senza erba del centro di produzione con le auto parcheggiate. Per fortuna i posti in cui si lavora non si vedono, alla fine neanche le case in cui si abita. Ne ho cambiate una ventina nella mia vita. Nelle due camere a Ponte Milvio, dove veniva a trovarmi Sara, sono stato tre anni, un record. Dalla piazza salivano le voci del mercato, a lei piaceva l'amore con le finestre aperte, le sembrava di farlo all'aria. Ma non le bastavo, me ne accorgevo quando si alzava dal letto e si rivestiva. Veniva a trovarmi in tarda mattinata, quando usciva dall'università. Mi avvertiva con una telefonata breve:

"Faccio la spesa lì da te".

Mi precipitavo dal centro di produzione, in tempo per prenderle di mano le buste piene di verdure. Una volta comprò una zucca intera perché le aveva ricordato la favola di Cenerentola. Rimase quasi un mese nell'ingresso di casa sua, finché Matilde non la usò per una festa di Halloween.

Salivamo le scale, lei mangiava una mela o un'arancia, era contenta di aver fatto la spesa, la faceva sentire una buona madre, era eccitata dalla folla e dagli odori del mercato, dall'amore che avremmo fatto subito, appena il tempo di entrare, di appoggiare le buste a terra, sfilarci i cappotti. Subito dopo però diventava nervosa, anche se si era lasciata andare ed era stata bene. Non fingeva, se non le andava o era venuta per parlare lo diceva subito. Non aveva imbarazzo con me. Ma il buon umore dell'incontro era svanito, come finiva all'improvviso la tenerezza per Franco dopo la cena. Si rivestiva, si sedeva sul divano di fronte al letto e si accendeva una sigaretta perché non poteva andarsene senza dirmi niente. Si svolgevano allora conversazioni che non toccavano mai la tristezza improvvisa e il nervosismo che la attraversavano. Sembrava fosse pentita della passione che mi aveva mostrato, come dell'affetto per Franco, quando gli metteva la testa in grembo davanti agli amici. Non ho mai avuto il coraggio di chiederle cosa le succedeva in quei momenti, avevo paura che se ne andasse e non tornasse più. Ci eravamo stretti pochi attimi prima e ora era sola, china su se stessa, in una parte chiusa. Con Giovanna, anni dopo, ne abbiamo parlato e lei mi ha dato spiegazioni, riportato frammenti di conversazioni tra loro. Accumulavamo dettagli, parole, ma molte interpretazioni erano sospette, le prove per capire qualcosa di lei erano viziate dal nostro interesse personale. Perché Sara ci interessava così tanto? Quei momenti di assoluta disponibilità e poi silenzi, rabbie. Spariva e cercavo di capire da solo, come ora, perché mi piacesse. Mi torna in mente la conversazione di una volta sul suo lavoro, parlava con impeto, si mangiava le parole. Tutte le teorie sono fasulle, diceva, imbevute della cultura e dei sentimenti di chi cerca, e ci si mette decenni per arrivare a una piccola verità condivisa e provata. Un ricercatore dirà che i nostri predecessori erano carnivori violenti e che trionfava il più forte, perché a lui piace comandare. Un altro che erano invece proprio i più sociali o i mutanti a farcela, perché è un pacifista e protegge i deboli. Bisogna procedere piano, attenti alle false piste, tornare indietro e ricominciare da capo per capire creature così diverse da noi, per afferrare almeno in parte cosa è successo a questi nostri simili antichi. In ogni caso siamo sempre accecati da noi stessi.

Io lo sono certamente, ora. Se penso a lei mi vengono in mente le punte dei seni, diverse una dall'altra, tonde e staccate, morbide, da madre. Le gambe magre e muscolose. Quando andavamo al cinema, speravo di incontrare Franco per mettergli davanti la nostra intimità. Nella lettera Sara gli ha scritto che non si è mai allontanata dalla loro vita insieme e lui è venuto da me solo per questo, per farmi sapere che ha camminato solo con lui. Non mi preoccupa che fine abbia fatto, magari è in viaggio con un altro industriale dei cerotti o è andata definitivamente in Africa, ma mi fa rabbia non essere riuscito a separarli. Vorrei telefonare a Giovanna e parlarne con lei, ma è morta.

Al suo funerale, Sara e Franco non si sono rivolti la parola. Era già nato il bambino, ma lui era venuto senza Fulvia. Ai due lati della stessa panca, non si guardavano. In fondo, dopo la separazione quei due non si sono mai spiegati, si sono evitati dal giorno in cui Franco ha preparato una valigia e ha lasciato l'appartamento che era anche la casa di tutti noi senza famiglia. Il luogo di una sperimentazione, come ci diceva lui scherzando: noi siamo le vostre cavie, facile per voi che tornate a casa da soli. Ma anche loro preferivano frequentare i single, per farci vedere com'erano bravi, caldi, liberi e sposati.

La ballerina Sara Fiore evidentemente non è in linea e non può rispondere alla mia richiesta di amicizia. Di Sara Fiore l'antropologa non ci sono notizie, più tardi richiamo Franco.

Franco, Fulvia, Giovanni, Matilde e Alfredo

"Non siete andati in spiaggia?"

"Ti abbiamo aspettato. Hai visto Matilde? Ha parlato con Alex, hanno chiamato la madre, da qualche giorno non risponde."

Mi siedo sulla sdraio accanto a Fulvia. Nel prato Giovanni è a mollo nella piscina di plastica. Non so se dirle della lettera.

"I tuoi figli si preoccupano di lei come fossero i suoi genitori."

È gelosa di Sara. Meglio non raccontarle niente fino a che non incontro l'uomo che mi ha chiamato. Fulvia si volta verso di me.

"A cosa pensi?"

"Niente, che sono sempre stati loro a preoccuparsi di lei effettivamente."

"Però alla fine Matilde e Alex sono venuti su bene."

Quando erano bambini criticava ogni dettaglio della loro educazione, anche a ragione.

"Che ne dici?" mi incalza.

"Sì, anche se mi sembrano un po' straniti."

"Cosa significa 'straniti'?"

Bisogna trovare il modo di uscire da questa conversazione.

"I miei figli sono persone originali. Alex sicuramente. Ti ricordi quando mi ha detto che era omosessuale? Matilde ha riso come una matta quando gliel'ho riferito. 'Mio fratello cambia una donna al mese,' mi ha risposto. 'Mio fratello', come fosse un'altra persona da quella che conosco io."

"Be', *è* un'altra persona da quella che credevi."

"Era lui che mi aveva risposto così!"

Fulvia è comprensiva e dolce su tutto, tranne che sulla mia prima famiglia. I figli, Sara, la vita con loro la fanno innervosire e diventa polemica. Ama a suo modo i ragazzi, purché sia chiaro che sono stati trascurati da una madre che lavorava troppo, che Sara è stata un errore di gioventù e che per me è importante aver trovato una donna come lei. Non posso assolutamente dirle nulla della lettera.

"Perché ti ha risposto così, secondo te?"

"Non lo so. Per provocarmi penso, perché mi ero interrogato sul fatto che non ci presentava una ragazza, perché credevo di saperla lunga e invece non capisco mai niente. Una risposta che avrebbe potuto darmi sua madre."

"Cosa c'entra lei?"

Perché parlare di Sara, ora? Sono confuso, la lettera nella tasca, la telefonata di quell'uomo, Fulvia che non sa nulla e vuole risposte precise.

"Niente, Alex somiglia alla madre, è strano come lei."

Mentre ci riflette mi alzo, voglio andare da Giovanni, ma lei mi ferma.

"Aspetta. Ti ricordi?, anni fa, una volta mi hai raccontato che gli ultimi tempi del vostro matrimonio c'era sempre quella donna a casa vostra. Come si chiamava?"

"Giovanna. È morta, poverina, un cancro fulminante, in pochi mesi..."

"Ok."

"Come ok?"

"Mi dispiace che sia morta, ma non parlavo di questo."

"Di cosa parlavi?"

"Come sei faticoso, Franco! Di quello che mi avevi detto su di lei e su Sara. Che un giorno avevate litigato, vi succedeva spesso alla fine..."

Le piace sottolinearlo.

"Effettivamente, ci siamo separati perché non andavamo d'accordo."

"Sì, non dev'essere stato facile per i bambini, comunque in quel caso spero non fossero presenti. Urlando hai chiesto a Sara se aveva fatto sesso con Giovanna, e lei è scoppiata a ridere, ha detto che non capivi niente, almeno così mi hai raccontato, è scoppiata a ridere come Matilde quando le hai detto di Alex."

Perché le ho raccontato tutti questi dettagli della mia vita con Sara? I bambini quella volta c'erano, chiusi nella loro stanza, ma era lontana dall'ingresso dove stavamo litigando, forse non hanno sentito, adesso meglio non pensarci. Sono venuti su bene, lo ha detto anche lei.

"Sara e Matilde adorano farmi notare che non capisco mai niente. Ma perché ne stiamo parlando? Mi pare siano cose molto vecchie."

Fulvia guarda in silenzio Giovanni che si è tolto il costume e gioca sul prato col suo pisellino.

"Sì, hai ragione, non so nemmeno io perché. Ho scambiato due parole con Matilde quando non c'eri. Vuole un bambino e non le viene. Lei minimizza, ma io penso che ci tenga molto."

Pure questa, come se non bastasse tutto il resto. La mia vita sessuale con Sara era funestata dalla paura di metterla incinta. Ha abortito due volte, una prima di Alex e una dopo Matilde, quando il matrimonio era finito. Quella fu la più tragica. All'inizio il dolore sembrava aver migliorato le cose tra noi. Sara si svegliava di notte e io la tenevo stretta finché non si riaddormentava. Poi abbiamo capito che era stato il punto finale, qualche mese dopo sono andato via. Fulvia invece ha deciso tutto da sola, ha lasciato il lavoro, ha voluto Giovanni a tutti i costi. E mia figlia non riesce a restare incinta.

"Avrà cercato di capire perché non le riesce, avrà fatto tutto quello che si fa in questi casi?"

Mi guarda con dolcezza.

"Certo caro, penso di sì. Se vuoi provo a chiederglielo, che dici?"

"Mah, tu sai meglio di me se è il caso."

Mi tende la mano sorridendo, gliela stringo. È la regina incontrastata del mio cuore. Mi alzo e vado da Giovanni.

"Che bel gioco fai!"

Ride. Lo prendo in braccio. È magro, gli si contano le costole, gli mordicchio il lobo dell'orecchio.

"Andiamo al mare?"

Matilde si avvicina dal fondo del giardino, dietro le sue spalle Alfredo la guarda. Ha un'aria triste mia figlia, da sempre. Metto giù Giovanni. Fai che non sia successo nulla a Sara, per lei.

"Ciao papà, sei tornato."

"Sì, sono andato a casa a prendere la posta e dei libri. Andiamo al mare, vi va?"

"Mamma..."

"Fulvia mi ha detto."

"Però Alex non è preoccupato, dice che fa così quando vuole lavorare in pace. E poi me lo aveva detto qualche giorno fa, che avrebbe staccato il telefono per scrivere."

Sfioro la lettera nella tasca, l'aveva avvertita.

"Ti aveva telefonato per dirtelo?"

"Sì... il racconto procedeva bene, stava per finirlo e voleva chiuderlo. Però ora è già una settimana."

"Ma l'hai sentita bene, era contenta..."

Annuisce. Ha ragione Fulvia, loro sono i genitori e lei è la figlia tormentata. Le metto una mano sulla spalla, non posso dire nulla neanche a lei, fino a domani sera.

"Andiamo al mare. Non ti preoccupare, mamma fa così da quando siete piccoli."

"Cosa?"

"Se ha da lavorare si dimentica di tutto."

In spiaggia i pensieri si sfilacciano, diventano meno incombenti, il mare addolcisce tutto. Al sole fingo di dormire per non essere disturbato. Andavo a leggere le lettere della mia prima ragazza sul tetto delle cabine, così nessuno poteva interrompermi o prendermi in giro. Sara e io ci siamo innamorati al mare, in Grecia, a Simi. Eravamo lì con i nostri fidanzati, in stanze a poco prezzo al centro dell'isola. Si doveva camminare per raggiungere le barche che ci portavano al mare. Una baia nascosta, con pareti di roccia a strapiombo. Alla stessa ora prendevamo la stessa barca, andavamo sempre alla stessa spiaggia e tornavamo indietro tutti e quattro verso le nostre case vicine. Chiacchieravamo, loro venivano da Firenze, noi da Roma, lei si stava laureando, io lavoravo per chiunque me lo chiedesse. Una notte li avevo sentiti gemere e la cosa mi aveva dato molto fastidio.

"Sono degli esibizionisti," avevo commentato con la mia ragazza di cui ricordo poco.

Noi ci accoppiavamo in silenzio, per non dare fastidio.

"Lei fa la doccia nuda," avevo aggiunto per discolparmi di averla a lungo guardata.

La doccia era all'angolo tra le due case, la usavamo dopo la giornata di sole e la camminata dal porto. Sudati, stanchi, l'acqua gelida era un piacere. Sara si era tolta il costume con una naturalezza che mi aveva sconvolto. Mi aveva teso gli occhiali:

"Me li tieni un attimo?".

I nostri fidanzati erano già rientrati a cambiarsi. I peli del pube erano castani e corti, si depilava l'inguine. Il seno grande, i fianchi stretti. Si lavava senza darmi retta, aveva peli sotto le braccia. Si depilava l'inguine e non le ascelle, era un'originale. Mi aveva ripreso gli occhiali.

"Grazie."

Andava sempre al punto, poche parole. Sarebbe partita per l'Africa subito dopo la laurea, aveva già vinto un concorso per una ricerca sul campo.

"Non vedo l'ora di andarmene da Firenze."

"E il tuo ragazzo?"

Era scoppiata a ridere.

"Se gli va, viene a trovarmi."

Esibizionista, strafottente e senza legami. La sera ne parlavo con la mia ragazza, che era troppo giovane per diffidare del mio interesse. Sara mi dava sui nervi e mi faceva paura. Poi rimanemmo isolati nella baia, con l'alta marea e la barca che non arrivava. I nostri fidanzati, più intraprendenti, si arrampicarono per andare a vedere dall'alto se qualcuno veniva a prenderci. Scomparvero alla vista. Mi sono sempre chiesto se si fossero baciati anche loro in cima alla montagna. Noi lo facemmo subito. Sara era stesa sulla sabbia, si voltò sul fianco e mi guardava sorridendo, ero seduto poco distante.

"Si preoccupano," scherzò.

Mi stesi goffamente accanto a lei, mi tese la bocca aperta con la stessa naturalezza con cui si lavava nuda sotto la doccia. Un bacio salato, con le bocche secche che penetrandosi diventavano umide e infuocate. Per tutta la vacanza non abbiamo fatto altro che aspettare il momento buono per baciarci, ma continuavamo a fare l'amore con i nostri fidanzati, meglio di prima, caricati dai nostri baci proibiti.

Il calore del corpo del mio bambino che mi cavalca sotto il sole mi fa aprire gli occhi. Lo bacio sul petto magro.

"Vieni a fare il bagno, papà!"

Fulvia ci guarda sorridendo. Matilde è sotto l'ombrellone e chiacchiera con Alfredo, che si diranno? Imperscrutabile ogni coppia, impossibile da penetrare. Mi alzo e corro con Giovanni verso il mare pieno di gente.

"Vorrei che tu mi capissi, Alfredo, possibile che non puoi fare uno sforzo?"

"Non solo ti capisco, Matilde, ma ti conosco. Tu stai male qui: Fulvia, tuo padre, il bambino... Una settimana è sufficiente."

"Non è sufficiente, come dici, ho detto a papà che stavamo due settimane. Non lo vedo mai durante l'anno."

Alfredo si tira su e mi fissa molto teso.

"Mai? Lo invitiamo a pranzo con Fulvia un sabato sì e uno no e tua madre tutte le domeniche. Ti pare poco?"

"Non mi hai mai detto che ti dava fastidio."

Si stende e chiude gli occhi.

"Non è a me che penso, è a te. Cerchi di tenere tutti insieme e diventi nervosa."

Tenere tutti insieme. Come se fosse possibile, con mio padre e mia madre che non si parlano dalla nascita di Giovanni e Alex in Canada! Alfredo si tira su di nuovo e mi fissa serio.

"Ti ricordi cosa succede ogni Natale, Matilde? Il 24 sera la cena con tua madre e i miei. Il 25 con tuo padre, Fulvia, il bambino, sempre a casa nostra. Da novembre cominci a pensarci, i regali, il pranzo. E a tua madre dobbiamo ricordarlo sempre il giorno prima, da quella volta che se ne dimenticò e non venne. E tuo padre non ti porta neanche un regalo. 'Andiamo insieme a comprarlo,' ti dice sempre. Perché fai tutto questo lavoro, Matilde?"

Non voglio dargli soddisfazione, non voglio mettermi a piangere.

"Non abbiamo ancora bambini e quelle sono le nostre famiglie. Mi piace organizzare il Natale da noi, è un crimine?"

"No, se ti fa veramente piacere, ma ogni volta poi piangi. Perché tuo padre non ti ha portato il regalo o perché Sara se n'è andata appena passata la mezzanotte."

Infilo gli occhiali da sole, così non vede le lacrime. Alfredo mi prende la mano, non devo toglierla, anche se vorrei, non dargli argomenti per misurare il tuo dolore.

"M'importa solo di te, Matilde."

Mi guarda, si aspetta una risposta.

"Mi hai sentito?"

"Sì, ti ho sentito. Mi è venuto sonno, stanotte ho dormito male."

"Eri preoccupata per tua madre?"

"Sì, un po', ma oggi Alex mi ha tranquillizzato."

Mi lascia la mano, prende il giornale e legge. Sua madre e suo padre pendono dalle sue labbra, lo aspettano sempre, farebbero qualsiasi cosa per averlo a cena. Lo preferiscono mille volte alla sorella che li accudisce. Con lei mi trovo bene a parlare. Cosa può capire lui del perché mi sveglio il 25 novembre di ogni anno pensando che non c'è tempo e devo preparare il Natale, che li devo invitare subito in modo che non prendano altri impegni? Cosa ne sa di come passavamo il Natale da bambini?

Nel periodo felice, quando vivevamo tutti insieme, il giorno di Natale dormivano fino a tardi. Alex e io ci svegliavamo all'alba, gli preparavamo la colazione col panettone, accendevamo le luci dell'albero, ma non aprivamo i regali perché non c'era gusto a scartarli senza di loro. Alex faceva un forellino piccolo piccolo nella carta e indovinava il regalo, poi accendevamo la televisione e guardavamo i cartoni per fare passare il tempo. Rispondevamo al telefono: i nonni di Firenze, quelli di Roma.

"Auguri, auguri!"

Quelli di Roma ci aspettavano a pranzo, non gli dicevamo che loro dormivano ancora.

"Sono in bagno, sì, saremo puntuali, non vi preoccupate."

E a quelli di Firenze:

"Sono in bagno, vi facciamo richiamare. Sì, abbiamo avuto tanti regali!".

Alex li sapeva, per via del forellino, e glieli diceva tutti. Io me li inventavo. Ci eravamo affacciati già varie volte a vedere se erano svegli.

"Vai a vedere tu."

"No, prima ci sono stato io."

Sbirciavo dalla porta semiaperta: dormivano abbracciati, i corpi intrecciati come un solo essere a due teste. I nostri amati genitori si amavano ancora. Se non si svegliavano era anche meglio, non litigavano, non minacciavano di separarsi.

E poi, finalmente, uscivano dalla stanza. Sulla porta sorridevano, papà diceva: "Apriteli, vai!".

E io subito:

"Mamma, hanno chiamato i nonni, dicono di non fare tardi!".

"Non ti preoccupare, Matilde, apri i regali."

Non ti preoccupare se mamma non risponde al telefono da una settimana, non ti preoccupare se non resti incinta, non ti preoccupare del Natale. Non ti preoccupare di niente, Matilde. Lavora, torna a casa da Alfredo, sii felice. Non lo sono, provo a esserlo e non mi riesce. La mattina della domenica, alle dodici, quando cucino e penso che mia madre sta per arrivare con le paste e mangerà con noi il risotto con i funghi, berrà un bicchiere di vino rosso e dirà: "Matilde, sei grande", mi sentirò felice per qualche ora. Come quando Alfredo non mi lascia sola con la malinconia della domenica pomeriggio, accende tutte le luci, mette la musica e mi invita a ballare per celebrare ancora il nostro amore, che durerà più di quello tra Sara e Franco.

Quando il loro finì, il Natale diventò un'avventura terribile, ogni anno diversa, per scongiurare la tragedia. La sera del 24 papà veniva a cena a casa, mamma non preparava quasi nulla, io mi davo da fare. Alex era sempre incazzato e boicottava qualsiasi cosa. Già da allora il Natale dipendeva da me, ce la mettevo tutta ma era impossibile evitare la domanda di mamma, la risposta imbarazzata di papà.

"Domani dove li porti a pranzo? Da Fulvia?"

Come si sta tra due genitori separati che hanno ancora conti aperti? Come su una barchetta in mezzo al mare, la tempesta arriva all'improvviso, i due capitani sono seduti distanti, uno a prua e l'altra a poppa, e la ciurma va da uno all'altra in cerca di ordini e riceve messaggi contraddittori:

"Papà dice che è meglio se i regali li apriamo subito".

"Perché se ne vuole andare. Li apriamo dopo cena."

"Mamma vuole chiamare i nonni, così gli fai gli auguri."

"Non ci parlo con i nonni, finché tua madre non gli dice la verità."

L'indomani andavamo a pranzo con Fulvia al ristorante, gli unici bambini nel locale. Tutte le famiglie italiane a mangiare i cappelletti in brodo a casa e noi potevamo ordinare "quello che volevamo" in un locale deserto. Bel Natale! Arrotolavo palline di mollica e le lanciavo contro Alex che mi infilzava con la forchetta. Papà alzava la voce e occhieggiava Fulvia per l'approvazione, ma lei non era mai soddisfatta, ci interrogava calma, dolce, saggia. Meravigliosamente pettinata, con la gonna, il golfino, le ballerine. Avevamo appena lasciato Sara da sola in cucina, in mutande e con la maglietta lunga di Alex che usava per dormire. Beveva il caffè, fumava, pensava a papà.

"Come va la scuola, Matilde? Come si chiama la tua migliore amica? La maestra è simpatica? La prossima settimana usciamo insieme a scegliere il regalo, non conosco bene i tuoi gusti e non voglio comprarti qualcosa che non ti piace."

Chi mi faceva il regalo, lei o lui? Lui li conosceva i miei gusti. O forse erano la stessa persona, come mamma e papà addormentati, invece no, qui era diverso: loro giocavano a fare i genitori e noi i figli. Fulvia prendeva il tono finto materno, così i camerieri pensavano che fossimo una famiglia normale. Papà si arrabbiava se non mangiavamo composti.

Fantasticavo che entrasse mamma e venisse a sedersi al nostro tavolo, con i pantaloni larghi e il pullover nero, quello che le aveva regalato la nonna. Come sarebbe andata?

Mamma va vicino a papà e gli dà un bacio, poi si siede accanto a noi, di fronte a loro: noi tre da un lato, loro due dall'altro.

MAMMA I miei bambini, il giorno di Natale, sono abituati a mangiare cappelletti in brodo e sono autorizzati ad alzarsi a metà pranzo per andare a giocare con i regali. Se Fulvia non sa cucinare, Franco può venire a mangiarli da noi.

PAPÀ [ride] Tu non hai mai cucinato, Sara! Che quadretto idilliaco fai...

MAMMA A te cosa importa se lo fa Matilde? Lei è contenta e io l'aiuto, vero Matilde?

MATILDE Certo mamma, io sono felice di cucinare i cappelletti in brodo per tutta la famiglia, e Alex e io preferiamo stare a casa, vero Alex?

ALEX Tra pochi anni me ne vado e cancello il Natale dal calendario.

FULVIA E pensi che io starei sola a Natale senza Franco?

MATILDE ...allora vieni anche tu da noi, compro mezzo etto di cappelletti in più!

MAMMA Che dici Matilde, sei matta! Chi la vuole questa!

MATILDE Mamma, torna a casa e aspettaci lì, è meglio.

PAPÀ Sì, effettivamente, è meglio che torni a casa, Sara, e li aspetti lì.

Fine della fantasia.

Papà dice spesso "effettivamente", e mamma "non ti credere". "Effettivamente" cerca una certezza, "non ti credere" gliela nega ogni volta. Alfredo invece fa le domande e si risponde. Alex non chiede niente perché non ne vuole più sapere. E io? Li tengo insieme, dice Alfredo, i quadrati di lana della coperta, i miei parenti, gli organi del corpo con i miei aghi. A mamma dico:

"Alex sta bene".

Ad Alex:

"Dovresti chiamare mamma, non è stata bene".

A papà:

"Chiama Alex".

Da bambina ero velocissima a fare i puzzle. Ma se manca un pezzo non si può più finire, allora è inutile ricominciare, meglio gettare via tutto.

Sara e Lucy

Te lo avevo annunciato che ce l'avevano tutti con me in mille modi. Ho comprato il gelato, ho molto da raccontarti. Siediti e non aver fretta di giudicare e capire, ci vuole tempo. Il mio tempo, questo mese di agosto in solitudine (anche se tra poco ti rivelerò un incontro), e il loro, due giorni, per capire che fine ho fatto. E forse t'interessa anche sapere cosa è successo ai due ominidi e mezzo che si mettono in cammino e lasciano orme sulla distesa di cenere di Laetoli. E poi ci sono tutti gli altri: i miei due figli, Alfredo, il marito di Matilde, Franco, Giorgio, Giovanna. E i due usurpatori: Fulvia e il suo bambino. Il figlio di Franco l'ho visto solo una volta al parco, ma non l'ho guardato. Matilde mi ha fatto vedere una fotografia, lei cerca sempre di mettere pace. Le somiglianze fanno male: perché il bambino di un'altra donna deve rassomigliare a mia figlia? Abbiamo tenuto in braccio due neonati simili e non abbiamo niente in comune, tranne il seme di Franco. Con i nostri sentimenti delimitiamo una materia che è in realtà molto più vasta di noi. L'eredità biologica vince i nostri odi: quel bambino con il viso di Matilde mi ha turbato. Così sono sicura che Franco vorrebbe rimuovermi dalla sua nuova vita, ma non ce la fa, mi ha sempre pensato in tutti questi anni, anche se sempre meno frequentemente. I primi mesi della separazione, forse un ricordo al giorno; poi ogni due, tre, una intera settimana senza pensarmi, un mese. Alla fine i ricordi della nostra vita in comune sono finiti congelati in una zona del suo cervello dove non fanno male e neanche scaldano più il cuore. Ci ho provato anche io a ibernarli, dopo la nascita del loro bambino. Ho smesso di rispondere alle sue telefonate, alle mail. I figli hanno provato a riaprire la comunicazione. Ad Alex in realtà non importava nulla, era in partenza per il Canada e voleva farla finita con noi. È stata Matilde a insistere perché mi parlasse:

"Devi dirle di richiamare papà, ha avuto un bambino, ci sono regole di civiltà. Forse mamma si è confusa, non viviamo tra i suoi trogloditi".

Ho cercato di spiegare a tutti e due il mio punto di vista. Semplicemente, dopo la nascita del bambino ho deciso che Franco, come lo avevo conosciuto io, era morto. Con un morto non si parla al telefono e neanche ti scrive mail. Di un morto parli con poche persone e solo se sei in intimità. Con i figli il padre morto non lo nomini spesso per non farli soffrire. Se provavo a parlarne con Giorgio finiva sempre per cambiare discorso e parlare della nostra breve relazione. Con Giovanna, quando è venuta ad abitare da me per un po', ci ho provato ma ho smesso. Un'amica sola è l'ultima persona a cui puoi raccontare di tuo marito morto. È contenta che tu sia finalmente una vedova come lei, sei più disponibile per andare al cinema e a cena, e poi lei te lo aveva sempre detto che l'uomo con cui vivere non esiste, che sono tutti uguali ed è meglio rassegnarsi. Di mio marito morto parlavo volentieri con gli sconosciuti, era più facile. Mi commuovevo raccontando della giovinezza con Franco, i bambini, le litigate e tutto il resto. Chi non ti conosce ascolta volentieri la tua storia infelice, è come andare al funerale di uno che conoscevi poco. Sulla scalinata della chiesa, quando esci al sole, non ti sei mai sentita tanto viva. Franco era un argomento di cui parlare con gli estranei. E così è successo anche oggi.

Dopo la nuotata, ho fatto la doccia fredda nello spogliatoio deserto. C'erano tracce di un'altra donna nel box di fronte al mio: un elastico e un tubo vuoto di bagnoschiuma al gelsomino. L'ho raccolto e odorato mentre mi avvolgevo nell'accappatoio e ho immaginato una donna grassa e piccola, il gelsomino usato per sedurre qualcuno questa sera a cena, sempre se riusciranno a trovare un ristorante aperto. Ho lasciato i capelli bagnati, mi danno una sensazione di fresco almeno per un po'.

Sulla scala mobile della piscina ho visto l'uomo della moto, aveva la stessa sacca. All'ultimo piano del centro sportivo c'è l'unico bar aperto della zona, ha l'aria condizionata, vende tramezzini e pezzi di torta secchi che accompagnano bene il caffè. In genere torno a casa dopo aver nuotato, ma avevo desiderio di una piccola novità. Ci siamo seduti a due tavoli vicini. È giovane, lo avevo già capito dalle sue gambe intraviste sulla scaletta della piscina. L'età di Alex o anche più giovane. Nel bar eravamo in tutto tre clienti più il barista: l'uomo della moto, un tizio di mezza età con pancia e giornale, io. Nella televisione al muro scorrevano senza volume pubblicità e immagini di gente in vacanza. Nel silenzio, si sentiva il rumore della mia masticazione, della sua, tintinnare di cucchiaini. Non leggevamo, guardavamo in giro, sembrava strano non rivolgersi la parola, quasi un atto di ostilità.

"Il suo turno di lavoro è ad agosto?" gli ho chiesto.

Ha annuito sorridendo.

"Anche il suo?"

Prima di dirti come gli ho risposto, voglio descrivertelo. Quando eravamo vicini e parlavamo non riuscivo a coglierlo tutto insieme. Ora lo vedo bene, come gli avessi fatto una fotografia che si è sviluppata in questo momento. È molto magro, capelli castani un po' lunghi sulle spalle, pallido, occhi neri che si tendono quando sorride, un neo al centro della guancia destra. Labbra grandi, denti davanti irregolari, evidentemente non gli hanno messo la macchinetta da bambino. Si chiama Milo, me lo ha detto prima di andare via.

"No, io non sono di turno ad agosto," gli ho risposto, "ho preso tutto l'anno per scrivere, insegno all'università."

Ha sorriso ironico.

"L'anno sabbatico."

"Sì. Lavora anche lei all'università?"

"No, sto solo scrivendo la tesi di laurea, ho un lavoro e allora vado piano. Sono già in ritardo di tre anni."

"Che facoltà?"

"Veterinaria, lavoro in una clinica e sono di turno tutto il mese."

Gli ho guardato le mani. Avevamo un gatto quando i bambini erano piccoli, era nervoso, rovinava mobili, sedie e poltrone, ma sul tavolo del veterinario si appiattiva tutto, rimaneva immobile e le mani del veterinario gli aprivano la bocca, gli alzavano la coda e gli infilavano il termometro nel retto.

"È in ritardo ma già lavora."

"Sono in ritardo perché ho sempre lavorato. Sono fuori casa da quando avevo diciotto anni e non voglio chiedere soldi ai miei."

"Anche i miei due figli hanno preso il largo molto presto, forse sono una madre insopportabile o loro sono molto intraprendenti come lei. Hanno più o meno la sua età."

"Forse il padre è insopportabile."

"No, è morto."

"Mi dispiace, scusi."

"Non si preoccupi, è un dolore lontano, è successo quando eravamo ancora giovani, sono vedova da anni."

Siamo rimasti in silenzio. Poteva finire lì, ma credo che nessuno dei due avesse voglia di uscire dal bar fresco e andare incontro al caldo e alla solitudine. Parlo per me ovviamente, su di lui non ho certezze, solo un'intuizione, una tristezza negli occhi di cui non ti ho detto quando te l'ho descritto. Ha interrotto il silenzio per chiedermi:

"Lei cosa insegna?".

Si è aperto subito il capitolo che, insieme a quello del marito morto, mi rende in genere appetibile per le confidenze tra sconosciuti. Succede alle cene, alle feste, in treno. Ominidi, Africa, fossili, denti, ossa, attraggono subito l'interesse. Piovono interrogativi sulle origini, sul mio lavoro, i viaggi, è una materia che incuriosisce tutti. Questa volta però, dopo qualche domanda, lui è ritornato ai figli e al marito.

"Ha cresciuto da sola i suoi figli?"

"Diciamo di sì, anche se non posso definirmi una madre troppo presente. Ho lavorato molto e forse li ho trascurati. Loro non me lo hanno mai detto esplicitamente, ma Alex, mio figlio, che ora è in Canada, me lo ha fatto capire in mille modi. Matilde invece cercava di compensare le mie manchevolezze."

Forse perché era agosto e nel bar della piscina sembravamo dei sopravvissuti, ma subito con lui mi è venuta una strana voglia di tirare le somme, di riferirgli senza preamboli conclusioni e dubbi della mia vita. L'uomo con la pancia e il giornale si è alzato e se n'è andato, il barista parlava al telefono con la moglie in vacanza e la sua voce risuonava nel locale vuoto.

"Ti lamenti tu che stai al mare, e io? Vengo sabato sera dopo la chiusura!"

Con il ragazzo ci siamo scambiati un sorriso, il barista se n'è accorto e si è coperto la bocca con la mano.

"Il matrimonio è un'impresa difficile," mi ha sussurrato il ragazzo.

"È sposato?"

È scoppiato a ridere.

"No, l'unico matrimonio che conosco è quello dei miei genitori."

"Un matrimonio felice?"

"Sì, no. Loro dicono di sì in certe situazioni e in altre, soprattutto con noi figli, si scambiano accuse."

"Quanti figli?"

"Tre maschi, io sono l'ultimo."

"Suo padre è veterinario anche lui?"

Si è fatto un'altra bella risata, strizzando gli occhi.

"No, glielo chiedevo perché mio figlio Alex ha scelto la mia stessa materia all'università."

"Mio padre ha un negozio di oggetti per la casa, piatti, bicchieri, posate. Mia madre ci ha lavorato per un po', poi ha smesso. I miei due fratelli sono sposati e hanno figli."

"Allora non era una domanda così strana, succede ancora di sposarsi!"

Ha ridacchiato e ha guardato l'ora.

"Devo aprire l'ambulatorio."

"Ci sono molte urgenze ad agosto?"

"Molti cambi di padrone: gatti e cani abbandonati, trovati per strada da persone che decidono di adottarli e li fanno visitare."

"Devono vivere con la paura che il nuovo padrone li abbandoni di nuovo."

"Sì, sono molto sottomessi. A casa ho una gatta che è stata lasciata nella mia strada la scorsa estate, ha perso un occhio. Certe volte mi dimentico che esiste, si nasconde dietro i mobili, non viene mai per farsi accarezzare. La devo prendere in braccio, ma appena può salta giù e torna a nascondersi. Non ho ancora conquistato la sua fiducia, abbiamo cominciato ad andare insieme da un dottore che si occupa di questo, della relazione tra animale e padrone."

"Esiste un dottore del genere?"

"Medicina comportamentale."

Si è alzato.

"Magari ci rivediamo in piscina, viene tutti i giorni?"

"Due o tre volte la settimana e lei?"

"Mi sono iscritto per due volte. L'ambulatorio è qui vicino, vengo nell'intervallo del pranzo."

Mi ha teso la mano.

"A presto, mi chiamo Milo."

"Sara, ci vediamo."
Ecco, è andato così il mio incontro.

Il pistacchio è il mio gusto preferito, anche da bambina, da sempre. Mia madre si meravigliava che non scegliessi mai il cioccolato, ma io non ho mai tradito il pistacchio. Milo sembra fragile e seducente. Da un punto di vista sessuale i ragazzi non mi interessano, li penso subito figli, e poi mi è sempre piaciuto sentirmi la più giovane nella coppia. Giovanna era stata con un uomo che aveva dieci anni meno di lei, si erano incontrati quando aveva la fissazione del tango argentino. Durante una lezione erano capitati in coppia, si erano visti a cena ed erano andati a letto insieme per un po'. Mi aveva raccontato che il suo giovane compagno aveva un protocollo sessuale preciso, che seguiva ogni volta con molta serietà. La cosa più importante per lui era prima di tutto accudirla sessualmente e poi poteva andare dietro al suo istinto, come dovesse pagare un prezzo per il regalo finale. Chi gliel'aveva insegnato? Gli amici? O forse una donna con cui era stato? Giovanna aveva fatto controinformazione:
"Non ci sono comandamenti, fai quello che ti viene in testa".
Il giovane ballerino si ricorderà di lei come della liberatrice della sua vita sessuale. Penso che anche Giovanna non abbia mai più trovato un uomo con cui ballare il tango nudi dopo aver scopato.
Se penso a un ragazzo, mi vedo sempre davanti Alex. Ora metto via il gelato e lo chiamo. Per prima cosa dirà:
"Perché mi telefoni?".
E poi sarà lui a parlare tutto il tempo, come non avesse aspettato altro.
Mettere gli occhiali, trovare il numero sul telefonino, comporlo sul fisso. Sparite le agende di carta, tutti i numeri sono nella memoria del cellulare, mentre la nostra è vuota.

Pronto, Alex, sono mamma. Ciao, mamma, che succede, come mai mi chiami? Potrei dirti perché è giovedì, ma anche che ti pensavo e ho avuto voglia di chiamarti. Che stai facendo, Alex? Cammino per strada, ho appena finito di mangiare e ora torno in laboratorio. Ho scelto un panino con il tacchino, l'insalata e le uova, tutto insieme. Sono panini giganti, qui ci vengo solo ogni tanto però, non voglio ingrassare. Sei sempre stato magro da bambino... Appunto, mamma, per questo non voglio ingrassare. Vado in bicicletta ora che fa caldo, e anche a nuotare. Ma dai, pure io sai, oggi ho incontrato... Lo so che ci vai anche tu a nuotare, mamma, ma per me è una novità e volevo dirtela. Ho anche deciso di andare da un medico comportamentale, mi ha dato un appuntamento alla fine del mese, è molto conosciuto, un italiano. Dio mio, Alex, proprio oggi ho incontrato... Mamma, lasciami parlare! Volevo solo chiederti perché ci vai. Perché non sto proprio benissimo, mamma, non dormo mai, neanche un'ora. Passo la notte sveglio a leggere e a guardare la televisione. Ho provato ogni specie di calmante, sonnifero, erba, tisana. Niente da fare. Alex ha ucciso il sonno come Macbeth, solo che io non ho colpe. O almeno non saprei identificarle. Hai l'ansia, Alex, per questo non dormi. Ah sì? Non lo sapevo, certo che ho l'ansia, il problema sarebbe capire perché, di cosa? Perché hai questo tono aggressivo? Aggressivo? Non mi pare, mamma, se tu mi lasciassi parlare, senza interrompermi. Parla, ti ascolto. Sì, ho l'ansia, mi viene solo la notte. Ho sonno, tanto sonno che non mi reggo in piedi, arrivo al letto, apro il libro, mi si accavallano le righe, non so più che storia sia, cosa stanno dicendo i personaggi, mi sembrano enormi cazzate, farneticazioni. Chiudo la luce, gli occhi. E mi passa un mondo nella testa: il futuro, il passato, morirò senza aver concluso niente, potrei fare mille cose e invece ogni giorno è uguale all'altro e devo solo decidere dove andare a mangiare, vedere quel film o un altro, perseguitare quella ragazza o un'altra... Hai una nuova ragazza?

Mamma, fammi parlare! Scusa. La vita mi si mette nella testa come un insieme di dati. Una volta mi sono addormentato per due minuti: ho sognato una mandibola gigantesca e io ero piccolissimo, dovevo entrare nella bocca col mio spazzolino, cercavo di pulire i dentoni gialli che mi stavano stritolando. Allora è meglio non dormire, ho quasi paura di addormentarmi. Certe sere uso la tecnica di fare finta di niente: non c'è problema se dormi o non dormi, hai più ore per pensare, chi lo ha detto che l'essere umano deve dormire? Mi faccio un bagno caldo, ascolto musica, leggo, vedo un film, non spengo le luci. Alle cinque sono steso sul divano disperato e vorrei dormire una sola ora, anche solo per mezz'ora non essere in compagnia di me stesso, distrarmi, dimenticarmi, essere un corpo che ronfa. Neanche dopo che sono stato con una ragazza dormo... Mamma? Eh? Ci sei? Pensavo fosse caduta la linea. Ti ascoltavo, Alex. Per questo ho deciso di curarmi, la medicina avrà inventato qualche cazzata per questa situazione, non sarò l'unico essere umano a soffrirne! Mamma? Posso parlare, Alex? Ok, parla. Sai Alex, non è che nella vostra infanzia sia andato tutto liscio... Mamma! Ti proibisco di parlare della "nostra" infanzia. Prima di tutto io non sono Matilde, sono un essere unico di genere maschile. Secondo, il mio malessere non c'entra nulla con te, con papà, con la vostra separazione che è appunto "vostra". Riesci a pensarmi senza voi in mezzo? Alex, fammi finire, volevo solo dirti che oggi ho incontrato un veterinario. Un veterinario? Sì, in piscina, questo veterinario ha una gatta che è stata traumatizzata. Mamma! Aspetta, Alex, posso dire due parole senza che tu mi interrompa? La gattina è stata abbandonata la scorsa estate e lui l'ha trovata mezza acciaccata. Da un anno si nasconde sotto i mobili, il veterinario mi ha detto che ha deciso di portarla a delle sedute di terapia comportamentale. Il gatto? Sì, pare si faccia, e mi ha detto anche che questa terapia riguarda la relazione tra gatto e padrone. E allora? La relazione, Alex, col suo precedente padrone che l'ha abbandonato e con quello attuale. E allora? Allora tutto nella nostra vita riguarda le relazioni che abbiamo avuto nel passato, che incidono su quelle del presente, volevo dire solo questo. Mamma, mi stai paragonando a un gatto? Ma no, Alex! Mamma, le persone sono come sono anche per caso. Te lo sei mai chiesto perché Matilde e io siamo così diversi? Perché avete due caratteri opposti e avete reagito a quello che vi è capitato in modo diverso. Ascoltami mamma, mi fai parlare? Sì, Alex. Non sono un gatto, non ho padroni, ho un legame con voi ma certe volte non vorrei averlo, il mio unico problema è che non dormo. Ma parliamo d'altro, anzi ora ti lascio che sono arrivato al laboratorio. Come va il racconto, procede? Mi manchi, Alex, quando torni? Perché non vieni tu qui, mamma? Sì, a settembre massimo a ottobre vengo senz'altro. Un bacio, mamma. Un bacio a te, Alex.

Sono qui, mi puoi vedere?, con la cornetta in mano, non ho il coraggio di riattaccare. Mi odio per aver parlato del gatto, anche se mi sembrava pertinente, per non aver mai saputo cosa dirgli al telefono, forse neanche quando era qui, prima che partisse. Da bambino... lui non vuole che io parli della sua infanzia. Matilde sì, adora guardare le fotografie. Le ho regalato l'album, le piace far vedere ad Alfredo che la sua famiglia esisteva: si andava in vacanza, a sciare, c'era il Natale. Da bambino Alex ha sopportato tutto così bene.

"Stai con noi. Non uscire, resta a casa. Non partire. Non andare in Africa, non ci lasciare. Quando torni stasera? Non c'è niente da mangiare. Ti aspettiamo. Dove sei?" E ora piango, senza senso, tanto non potevo fare altrimenti. Quelle frasi, le domande, le stesse di Franco, non avevo risposta. E allora almeno non piangere, lasciali liberi di avercela con te. Con Franco no, col padre mai. Franco è anche andato in Canada con quella e io ancora no. Perché? Ho viaggiato in tutto il mondo e non vado da mio figlio. Te lo dico perché, a te che mi ascolti e non mi giudichi: ho paura di incontrarlo fuori da questa casa. Lo vedo che non sta bene, parla sempre, è agitato, non dorme, non ha una ragazza fissa. Ho paura di lui, anche della tristezza di Matilde, della sua generosità, del suo amore. Mi sento in colpa come Lady Macbeth, anche se è lui a non dormire. Siamo tutti e quattro accomunati dalla stessa colpa, ma io ne sono la titolare: non essere stati felici come avremmo potuto. Mi fermo qui, non posso parlarne, neanche con te, sono come Alex. Ci somigliamo, fuggiamo, andiamo avanti.

Ora ho voglia di tornare indietro invece, molto indietro. Il mondo in cui ho abitato col pensiero tutta la vita: pianure rosse di terra arida, gole, rocce vulcaniche, mandrie di animali a cui non davo nessuna importanza. La meta dei miei viaggi era un'altra. In quel paesaggio desertico, vegetazione bassa e vulcani spenti all'orizzonte, si sono evoluti gli ominidi e con una accelerazione improvvisa – solo pochi milioni di anni, ore in confronto al tempo della Terra – è nato il genere *Homo*. Immagina, lo sprofondamento della Rift Valley in Africa, la desertificazione, il ritiro della foresta, il formarsi della savana. La fine della vita facile. Catastrofi producono esseri nuovi, mutanti, che devono agire allo scoperto, scendere dagli alberi, camminare, spiare tra le erbe della savana, mettersi d'accordo, risolvere, capire. Lì a Laetoli, curva sulle orme, anche io a piedi nudi come loro, studiavo ogni più piccolo segno inciso nel terreno, lì c'era la traccia della pelle, non solo fossili di ossa o di denti. La morbidezza della carne, l'incertezza del passo, l'affondo nella cenere mi rivelavano un comportamento. Camminavano. I piedi erano già i nostri, con l'alluce allineato alle altre dita, l'arcata, il tallone. La femmina, quella che immaginavo potesse essere la femmina, affondava di più nella cenere con il bambino sul fianco. Il maschio li precedeva. Tutta la zona era popolata da ominidi anche diversi tra loro che convivevano a poca distanza. Come si era formato quel gruppo, da dove veniva? Non mi chiedevo dove andassero quei tre, per loro era una fuga, un viaggio verso l'incognito, per noi una lenta, maniacale ricostruzione che porta a noi: la ricerca piena di lacune e di errori in cui consiste il mio lavoro.

Riaggancio, mi avvicino al tavolo, apro il computer, accendo. Aspetto e penso a mio figlio, al suo lavoro, al mio, alla nostra lontananza che non è geografica. Non potrà mai perdonarmi. In un'altra telefonata avevo provato a sintetizzare il racconto che ho in mente, ma era distratto, m'interrompeva.

"Un racconto... tu che non ti sei mai azzardata a scrivere niente senza prove!"

"Proprio per questo, lo dichiaro, è una mia immaginazione!"

Era scettico. Una volta, da bambino... lui non vuole che io parli sempre della sua infanzia. Ma con te posso farlo. Aveva dieci anni, magro, sempre in movimento, non studiava mai e giocava a pallone nel corridoio quando rientrava da scuola. Sistemava Matilde davanti alla porta della mia stanza a fare il portiere. Lei gli diceva di sì, voleva disperatamente giocare con lui. Quel giorno sono tornata a casa, ho infilato la chiave nella toppa, attraverso la porta lo sentivo fare la radiocronaca sempre più eccitata delle sue azioni. Ho aperto, sono entrata. Ha urlato:

"MAMMA", come io fossi il goal che avevo interrotto. Mi è corso incontro, mi ha abbracciato alla vita:

"Meno male che sei tornata".

Gli ho dato un bacio sulla testa, l'ho guardato negli occhi:

"Perché, cos'è successo?".

Ha esitato, cercava una ragione, e poi ha detto con un sorriso dolce:

"Niente".

Come siamo passati dalla loro infanzia a oggi, cos'è successo, cosa ci ha dispersi? Meglio non pensarci.

Clicco sul racconto, vado lontano nello spazio e nel tempo.

Lucy non dormiva sotto l'albero accanto alle altre femmine, si era sistemata vicino al sasso dove il nemico l'aveva presa.
Lì c'era il suo odore, lo aspettava. Si era abituata al tuono del
vulcano lontano. Per Lucy, un rumore, un colore, un movimento, erano sempre stati lì, non avevano inizio né fine. Come
il frullo intermittente sotto la pancia pelosa, ascoltava il colpo
dentro il suo corpo, e quello lontano del vulcano. Il frullo, il
sasso, il vulcano. Il nemico era altro, c'era stato un inizio e una
fine: era arrivato, se n'era andato, ma Lucy non lo aveva dimenticato. Si era grattata la schiena contro il sasso, si era alzata, aveva piedi diversi da quelli delle altre femmine, il suo alluce era allineato con le altre dita. La madre aveva passato ore
a cercare di allargarglielo, ma così era venuta fuori e non c'era
niente da fare. I nemici avevano ucciso il piccolo nato prima di
lei e, pur di averne uno, la madre si era tenuta il cucciolo con i
piedi strani. Sempre per colpa dell'alluce troppo dritto, Lucy
cadeva più facilmente degli altri quando si arrampicava. Ma di
alberi ce n'erano pochi in giro, erano circondati da terra libera,
ricoperta da ciuffi d'erba alta quando pioveva e da polvere sec-
ca se l'acqua non veniva giù. Distese attraversate da predatori
e da mandrie nella stagione verde. Loro correvano da un albero all'altro per cercare termiti e frutta, pronte a scappare, tese
a ogni rumore. Non c'erano posti dove nascondersi e ogni giorno un leopardo riusciva a raggiungere una di loro, la stringeva
tra i denti e la trascinava su un albero per divorarla. Ma Lucy
era capace di fare una cosa che alle altre riusciva difficile: correva senza stancarsi. Pesava poco e aveva piedi che funzionava-
no meglio a terra, correva più forte di tutte. Era anche più
piccola e nella lotta con gli altri perdeva.

La superficie del lago, durante la notte, si era ricoperta di
cenere. Sull'altra sponda vivevano femmine diverse da loro,
avevano una cresta sulla sommità del cranio, urlavano, non
conoscevano i loro gesti, non ballavano e uccidevano quasi tutti i cuccioli per non doverli nutrire. Tenevano in vita i più forti.

Lei con loro sarebbe stata eliminata subito. Si era tastata il ventre rotondo e duro, dentro c'era un cucciolo suo. Ogni tanto, con le dita allargava la fessura tra le gambe, come aveva visto fare alle altre. Tastava attraverso la sua pelle la testa morbida, voleva aiutarlo a uscire, anche se dentro era al sicuro. Lucy cercava cibo solo per sé, ma aveva visto le altre, con i cuccioli dietro, sempre in giro alla ricerca di foglie, semi, frutta o pezzi di carne attaccati a carcasse. Quelli erano i momenti in cui i piccoli venivano azzannati e portati via. I cuccioli erano uccisi dai nemici, ma anche dai predatori e dalla fame. Lucy lo avrebbe portato sul fianco per non perderlo nella corsa. Non lo avrebbe lasciato a terra né su un ramo. Solo dal nemico, che l'aveva presa sul sasso, non sapeva ancora come si sarebbe difesa. Di quel giorno in cui erano arrivati e si erano messi a ballare e a modulare suoni mentre si avvicinavano, Lucy sapeva come in sogno. Canti, odori, corpi, i pianti dei cuccioli. Aveva corso più forte che poteva, ma il fiato la seguiva. Le veniva dietro, correva come lei. Si era bloccata, anche il fiato. Lucy si era voltata: lui era davanti a lei, immobile, il pene dritto tra le gambe. Aveva cominciato a ballare in un modo che Lucy non conosceva, capriole e salti, e modulava un suono lungo come il vento che muoveva i peli, l'erba, la polvere. Allora, per ripararsi e anche per aspettarlo si era messa a quattro zampe accanto al sasso e il pene era entrato nel suo corpo dove ora c'era la testa morbida.

Giorgio e Sara Fiore

Una giornata più vuota delle altre, sembra che non succeda nulla in estate, il che non è comprensibile dato che si nasce, si muore, si uccide e si ruba (questo soprattutto) come in qualsiasi altra stagione. Scorro le agenzie: meduse sulla costa adriatica, troppa gente a Capri, multe nei centri balneari. Sulla mia pagina vedo che la ballerina Sara Fiore mi ha risposto, mi ha dato l'amicizia, mi ha scritto ed è collegata.

Chi sei? Conoscevo una tua omonima e la sto cercando. Omonima? Sara Fiore, ma è un'antropologa. Ah, sì, lo so. Lo sai?, e come? L'ho trovata sul web, è una tua amica? Sì, non ci vediamo da un po', volevo sapere che fine aveva fatto. Ha fatto una brutta fine? No, non lo so, perché? Niente, un anno fa ho visto che aveva il mio nome e ho cercato di lei in giro. E che hai scoperto? Un video, la intervistavano durante un convegno, si occupa di evoluzione, no? Sì. Rispondeva alle domande, si è seduta e ha fatto segno con la mano che non poteva continuare. Che strano, avevo visto un altro video, non questo. C'è stato per un po', poi non l'ho più trovato. E come mai? Non lo so. Grazie dell'informazione. Sei una ballerina della Rai? Non solo. Io sono un giornalista e lavoro al centro di produzione. Ballo spesso negli spettacoli della Rai. Ora dove sei? In città. E tu? Anche io, lavoro tutto il mese. Mi dispiace. Se hai notizie della mia omonima mi scrivi?, ora è come se la conoscessi. Che gesto faceva con la mano nel video, si sentiva male? Sì, forse. Grazie. Figurati, a presto.

Come giudicare un contatto del genere, una traccia inesistente? Da seguire? Era lei senz'altro, una che parla di antropologia a un convegno, è lei. Forse dovrei chiamare Franco, ma non significa nulla. Un anno fa, ha detto la ballerina. In ogni caso, posso chiedere a un collega di fare una piccola ricerca negli ospedali.

Sara e io ci siamo rivisti proprio in un ospedale, circa due anni fa, quando hanno ricoverato Giovanna. Che significato hanno le coincidenze? Il caso. Che esiste una Sara Fiore ballerina che va alla ricerca di una che si chiama come lei e casca su un video in cui Sara si sente male e poi non lo trova più, e io cerco Sara e incrocio lei. È anche un caso che lei era in ospedale da Giovanna, il giorno in cui mi sono deciso ad andare a trovarla. Non avevo voglia di soffrire, però mi dicevo che magari moriva e non l'avrei più rivista. E infatti è stato così, non l'ho più rivista, neanche quel giorno. Sara era nel cortile dell'ospedale, seduta su una panchina. Era piuttosto bella, aveva pianto. Non l'avevo mai vista con i capelli corti, non ci incontravamo da molto tempo. Mi sono seduto accanto a lei, ci siamo abbracciati.

"Muore un sacco di gente di questa malattia, ma ci pare sempre un'ingiustizia."

Sara aveva un modo di vedere le cose che andava sempre oltre il fatto individuale, forse era il suo lavoro o la sua natura. Ogni tanto, quando mi succedeva qualcosa, pensavo: Vorrei chiedere a Sara cosa ne pensa.

Ora sapevo come vedeva la morte della sua migliore amica. Si asciugava gli occhi e parlava piano. Era inverno, portava delle calze lunghe di lana rosse e una gonna. Non riuscivo a non guardarle le gambe, a non ricordarle nude.

"Lo sai cos'è un'amica per una donna?"

Mi guardava fisso.

"È inutile che ci provi, tanto non lo sai. Con un'amica ti puoi incazzare, non ti lascerà per questo. Non ti lascia se sei noiosa, nervosa o se non le dai sicurezza, neanche se ne hai troppo bisogno o se invecchi. Ti molla se ti metti con un uomo che lei non ama."

Avevo pensato all'industriale dei cerotti, ma anche a Franco.

"Abbiamo litigato tante di quelle volte, l'unica persona con cui potevo arrabbiarmi in libertà. All'inizio avevamo un'amica in comune, lo sapevi? Sentivo parlare sempre di Giovanna da lei, avevano fondato insieme una specie di associazione di teatro e Giovanna curava l'amministrazione. La nostra amica comune mi diceva sempre la stessa cosa: 'Ti puoi fidare di una così: se crede in una cosa, va fino in fondo'."

Si era messa a ridere.

"Non è che fossero grandi cose, poteva essere il tango argentino o un viaggio che avevamo deciso di fare. O la convivenza, quando Matilde e Alex se ne sono andati e il mio appartamento era troppo grande e io mi sentivo sola. Non dovevamo intralciarci, diceva. Se volevamo abitare insieme, dovevamo sentirci libere di non rivolgerci la parola per giorni. Avevo mille dubbi. Lei era venuta a stare da noi molte volte, nei fine settimana, o quando partivo e Matilde e Alex avevano bisogno di una persona a casa. Ma l'idea di dividere l'appartamento... non ci ero riuscita con un uomo, figuriamoci con una donna. Lei però non mollava."

Sara era rimasta in silenzio a ricordare il periodo della loro convivenza e la rottura. Giovanna mi aveva raccontato i dettagli della vita a due, come lei fosse incapace di organizzarsi, di cucinare o mettere in ordine, che capiva Franco ora che ci era passata.

Poi si era voltata verso di me con gli occhi di nuovo lacrimosi.

"Perché ci teneva tanto a me? Non riesco a capirlo."

Mi ero subito rivolto la stessa domanda:

"Perché ci hai tenuto tanto a lei?".

Aveva incrociato le gambe coperte dalle calze rosse, si era asciugata gli occhi.

"Un sentimento così forse io non l'ho mai sentito per nessuno. Sì, certo, i figli, o forse... non so."

Non aveva detto Franco, gliene ero grata. Era già nato il bambino e lei non parlava più di lui con nessuno, fingeva di non aver mai conosciuto un uomo con quel nome.

"Non salire a vederla. Tu non riconosceresti lei e lei te."

Poi c'era stato il funerale. Una volta l'avevo incontrata al cinema con un gruppo di persone tra cui non avevo visto l'industriale dei cerotti, forse si erano già lasciati. Mi si era avvicinata e mi aveva abbracciato.

"Stai bene, Giorgio."

Aveva stretto con calore la mano alla ragazza con cui stavo e mi aveva sorriso ironicamente, come volesse dirmi:

"Questa è veramente troppo giovane per te".

Esco dall'ufficio, percorro i corridoi con la moquette staccata, l'umidità, i vecchi macchinari abbandonati negli angoli, qualcuno verrà a salvarci? Mi fermo, mi appoggio al muro, due colleghi passano con delle carte, mi salutano. Sto mettendo in fila i dati della scomparsa di Sara: un uomo chiama Franco e gli dà un appuntamento domani, deve comunicargli qualcosa su Sara che i figli non possono sapere, gli dice di andare nell'appartamento di lei. Nella casa deserta Franco trova una lettera d'amore e di addio. Infine, il gesto misterioso di stanchezza nel video. Sara è malata e si nasconde come i gatti.

Torno verso l'ufficio. Un ricordo di una conversazione lontana, una bellissima serata di primavera, sono con lei davanti alla finestra aperta della sua casa. Matilde le si era addormentata in braccio, Alex giocava nella sua stanza. Franco l'aveva lasciata da poco e io andavo spesso a cena per tenere compagnia alla vedova, come diceva lei. I gridi delle rondini nel cielo che scuriva. Sara aveva messo la mano davanti all'orecchio di Matilde perché non la svegliassero e guardava fuori o forse dentro di sé, nello spazio chiuso agli altri dove ribollivano rabbie e tristezze.

"Ho cambiato me stessa per lui."

Mi dava ai nervi quando era sentimentale o malinconica, in realtà quando parlava di Franco.

"Ma se hai sempre fatto la tua vita, Sara, lo hai lasciato solo, te ne andavi e tornavi quando ti pareva."

Si era voltata, stupita che la stessi ascoltando e l'avessi contraddetta.

"Certo, ma lui lo sapeva. È stato lui a venirmi dietro dopo la Grecia, gli dicevo in tutti i modi che non ero adatta a lui, che col mio lavoro non dovevo neanche sposarmi e avere figli."

Aveva lanciato uno sguardo al viso di Matilde addormentata, premuto la mano sull'orecchio.

"Mi aspettava tutti i giorni fuori dall'università, andavamo a casa dei suoi a fare l'amore. Si camminava tra i libri, te lo ricordi? Lui voleva venire via da lì, avere una casa sua con me. Io gli ripetevo che volevo viaggiare, che non sapevo cucinare e che mai e poi mai sarei stata una madre. Che ero nata così, e non ci si poteva fare niente. Lui si metteva a ridere, diceva che era per questo che gli piacevo, perché ero diversa, avevo un difetto di fabbrica. Sì, infatti, gli ripetevo, è così."

Ecco cosa affascinava me e anche Giovanna, il difetto di fabbrica di cui parlava Franco. Allora non ci avevo pensato, mi pareva una questione solo tra loro due. Ora invece capivo che era proprio quella anomalia che mi faceva venire voglia di averla. Sara eseguiva ogni cosa come se qualcuno le avesse provvisoriamente dato quel compito, ma presto ci avrebbe lasciati e se ne sarebbe andata a fare altro. Avresti voluto chiederle:

"Portami con te nel posto in cui sei te stessa, per favore, mi piacerebbe visitarlo, chi te lo dice che non sia anche il mio?".

Che posto era? Ci era mai andata con qualcuno? Con Franco?

Dopo un silenzio, aveva aggiunto:

"Anche morire voglio farlo in un altro modo, ci penserò bene. Non morirò nel mio letto, con i pianti degli altri e i cattivi odori, la morte è troppo importante per chiuderla in una stanza".

Forse era già in Africa o in un paese dove chi è malato e sceglie di morire può farlo.

Franco

Questo pomeriggio non finisce, cerco di lavorare e non mi riesce. Il romanzo che ho appuntato mi sembra lontano e privo di necessità. Mi era piaciuto, è scritto da un giovane su una realtà di provincia che non conoscevo: i lunghi spostamenti in auto da un locale all'altro il sabato sera. Alcuni passaggi mi hanno fatto pensare a certe atmosfere del film *Il sorpasso*. Tutto in un clima più disperato come forse è la nostra epoca. Anche se poi è anche diventato un cliché rappresentarla sempre così, soprattutto da parte dei più giovani. Mi piace recensire romanzi scritti da chi ha vissuto pochi anni e non ha letto troppo. Mi ricordo ancora bene le sensazioni dei miei primi libri. Evitavo di prendere quelli di mio padre, volevo seguire i miei istinti anche nelle letture. Non posso dimenticare l'effetto di alcune pagine di Kerouac, non erano parole scritte ma sassi. È nei primi romanzi che ritrovo quel peso, nelle pagine più scoordinate della storia, nelle descrizioni sperdute di un gesto ininfluente, nella frase evidentemente cancellata, di cui si sente ancora la presenza. Non potrei fare l'editor, terrei tutti i difetti di un libro, toglierei quello che funziona troppo, che fila.

Accendo la luce, il sole cala rapidamente a quest'ora. Di là, in cucina, Matilde e Fulvia preparano la cena, ogni sera ci stupiscono con piatti di pesce elaborati. Quando cucinano vanno d'accordo, Matilde la ama più di quanto pensa, avreb-

94

be desiderato una madre come lei anche se non può ammetterlo. Sono contento quando le vedo fare qualcosa insieme, quando Giovanni gioca con Matilde, quando riesco a ricomporre una famiglia con tutti i miei figli. Alex non c'è mai, per vederlo sono dovuto andare in Canada, e anche lì non ci siamo parlati. Non so nulla di lui. Certe volte mi rendo conto che vorrei eliminare Sara più di quanto non abbia già fatto. Vorrei toglierle la maternità dei due grandi, vorrei che loro non mi riportassero a lei sempre. Con i figli la separazione è un atto impossibile perché non si compie mai del tutto. Loro sono lì e perpetuano la storia d'amore che hai voluto recidere. Mi guardo intorno, non c'è nessuno. Giovanni è in giardino con Alfredo, annaffiano i fiori. Tiro fuori la lettera dal cassetto della scrivania.

Franco caro, ho preso la decisione di andarmene e voglio dirlo a te, non al padre dei miei figli ma all'unico uomo che ho conosciuto bene e amato. Non voglio darti il carico della mia partenza, ma penso che tu solo puoi capirla fino in fondo. Ho scelto un uomo molto tempo fa, abbiamo deciso di vivere insieme, di fare dei figli. Ho pensato di essermi allontanata da quella scelta e invece oggi so che sono rimasta sempre lì e il nostro fallimento è stato il mio e quello di tutti questi anni senza di te.

Mi batte il cuore per una fantasia banale, non riuscita. Vorrei essere altrove, avere rispettato chi amo, conoscere me stessa e questi impulsi infantili. Eppure il cuore mi batte, va da solo, domina anche queste parole buttate giù per te in fretta in una stanza calda e vuota. Il letto però l'ho rifatto, è il mio letto di sempre, anche di questi giorni di fatica e di insonnia. Ripartire dal primo battito, quello che ha condizionato tutti gli altri, ma non è più possibile... Lasciami andare, non parlare con nessuno, solo con chi ti telefona. Lui ti dirà tutto. Sara

Queste righe mi parevano contenere le ragioni del mio astio, della guerra tra lei e me, ora invece mi sembra nascondano una dolcezza che all'inizio non mi era arrivata. *Non voglio darti il carico della mia partenza, ma penso che tu solo puoi capirla fino in fondo.* Perché io? Come ho fatto a sentire rabbia per questa sua richiesta di aiuto? L'avevo giudicata fremente, ricattatoria, ora sembra arresa a una consapevolezza raggiunta. Perché non riesco a placare la rabbia nei suoi confronti? Ho provato a richiamare l'uomo di questa mattina, ma il telefono è sempre staccato. Devo parlarne con Matilde, rinunciare alla serenità di questa serata d'estate e di intesa famigliare rara? Non mi sono meritato almeno questo?, una vacanza con mia figlia, il marito, la mia nuova moglie? Non voglio ricadere nelle nostre trappole, Sara, se tu fossi qui davanti a me proverei a spiegartelo. Ho passato anni a pensarti, a sognarti, ad augurarmi anche la tua morte. Sì, anche la morte, soprattutto quando i bambini stavano con me e mi dicevano dei tuoi pianti in cucina, dei tuoi racconti, delle domande, mi davano la colpa del tuo e del loro dolore. Avrei voluto venire da te, prenderti per il collo.

"Perché gli racconti tutte queste menzogne? L'amore, le vacanze, la tua generosità... perché tralasci il resto? L'egoismo, i salti d'umore, i rimproveri, il nervosismo, le assenze. I giorni in cui mi chiamavano dalla scuola al giornale, non ti trovavano, i bambini erano malati e tu scomparsa. La sera tornavi, cercavi di minimizzare: 'Che sarà mai, ti sei portato il lavoro a casa, tu che puoi'. Mai un po' di tranquillità, tutto improvvisato, e doveva essere così perché altrimenti che noia la vita, che monotonia! Insulti e poi abbracci, parole d'odio e richieste d'amore." Desideravo una donna normale vicino a me, una volta te l'ho detto così, semplicemente. E tu hai cominciato a urlare che non sapevi cosa volesse dire, che tutto quello che mi usciva dalla bocca erano banalità e modi di incolparti, che avevo messo i figli contro di te.

Ti sei portata Matilde a dormire nel letto, io dividevo la stanza con Alex. È stato un periodo felice per tutti e quattro. E finalmente loro, i nostri figli, erano sereni. La sera Alex mi leggeva "Tex", ci addormentavamo nello stesso letto come due fratelli. Durante la notte lo riportavo nel suo. Prima di dormire mi raccontava della scuola, degli amici, della sua timidezza. Com'era timido Alex! Chi lo aveva capito? Tu no, lo descrivevi sempre come un campione di strafottenza e coraggio. Alex aveva paura di tutto, Sara, di comprare un giornalino all'edicola, di parlare in classe, di invitare un amico a casa. Si sentiva diverso da tutti i compagni, aveva paura che tu potessi apparire agli altri strana, matta, troppo eccentrica. Non osava fartelo capire perché ti adorava. Ho provato a dirtelo e ti sei messa a piangere, come la sofferenza fosse tua e non sua. Una notte mi sono alzato e mi sono affacciato nella stanza di voi ragazze. Dormivate abbracciate, tranquille. Ho pensato che forse quella era la soluzione: due mondi troppo diversi, meglio incontrarsi a pranzo e a cena, uscire insieme qualche volta. Poi mi sono detto che stavamo diventando matti, che i nostri figli sarebbero impazziti insieme a noi. L'indomani ho portato Matilde addormentata nella sua stanza, mi sono infilato nel nostro letto e abbiamo fatto l'amore. Tu non volevi essere la mia donna, Sara, quando l'ho capito me ne sono andato. Potevi amarmi ma con risentimento, non volevi cedere su questo. Ho passato serate a pensarci da solo. Dov'era l'origine della tempesta, perché in un attimo ti sentivi in trappola e ogni gesto aveva cambiato significato? Non lo so ancora adesso, Sara. Credo di averti conosciuto più di ogni altra persona che hai incontrato, hai ragione a scriverlo, eppure se qualcuno mi chiedesse perché non ci siamo riusciti, non saprei spiegarglielo. Non l'ho saputo raccontare ai nostri figli, e neanche tu.

Piego la lettera e la infilo nel cassetto, stanno arrivando. Le voci di Matilde e di Fulvia e quelle di Alfredo e del bambino. Non dirò nulla, voglio godermi in pace questa serata.

Sara

Eh, no caro Franco, aspetta un momento, ora mi inserisco, anche se non è il mio turno, e guasto solo per poco il tuo godimento famigliare, l'intesa rara, come l'hai chiamata. Capisco che era più giusto far entrare Matilde col piatto del pesce (come cucina bene lei!) e la tua Fulvia, quell'incanto di giovane donna che ti si è dedicata e ti ha fatto fare un bambino identico a mia figlia. Per inciso, non per essere cattiva, ma ti chiedi mai l'età che avrai quando lui si affaccerà alla vita? Quando a scuola ti scambieranno per il nonno? Comunque hai ragione, non sono fatti miei. Ma quello che hai raccontato qui mi riguarda molto. Non voglio passare tutto il prossimo appuntamento con chi mi fa compagnia in questo mese di solitudine a parlare di te, lo faccio anche troppo. Dico due o tre cose e poi ti lascio continuare la tua serata, andare avanti fino a domani, nei due ultimi giorni in cui per te accade tutto.

Quando ci siamo incontrati, amavi i lati del mio carattere che hai poi cominciato a detestare. Io no: la tua precisione, la paura di lasciarti andare, il modo in cui cercavi sempre di tenere le cose distanti per poterle controllare, il rispetto reverenziale per ogni testo scritto, a me hanno dato ai nervi dalla Grecia e per sempre. I tuoi rituali maniacali mi sono subito sembrati mortiferi e inutili, e non ti avrei sposato se non ci fosse stato l'altro Franco, quello che gettava via ogni sicurezza per una risata o andava dietro a pensieri strambi e liberi e tornava dopo essere uscito di casa perché non mi aveva baciato fino in fondo. Tu invece adoravi i miei salti di umore, la diffidenza verso i sentimenti troppo dichiarati, l'ironia, l'insofferenza. La mia paura di fare figli ti sembrava consapevolezza dell'amore che avrebbero richiesto e la decisione di non sposarmi conoscenza dei miei stessi limiti. Se fossi un'eroina dell'Ottocento, direi che mi hai preso con l'inganno. Ma di quel tipo di donna non ho che la passione guastata continuamente dal pensiero e forse lo stesso suo attaccamento, oggi assolutamente fuori epoca, a un solo uomo. Questa è la mia verità Franco, e allora puoi capire perché facevo l'inferno quando volevi una persona diversa da quella che avevi scelto o perché piangevo in cucina quando te ne sei andato.

Ora sto zitta, ma purtroppo per te non puoi replicare, hai accanto troppe persone con cui ti è vietato parlare di me. Ma sono rassicuranti, e com'è bella la tua nuova famiglia!

Franco, Matilde, Fulvia, Giovanni e Alfredo

"Buono, Matilde! Chi l'ha cucinato, tu?"

Matilde risponde senza guardarmi.

"Fulvia."

Fulvia imbocca Giovanni.

"L'abbiamo fatto insieme, ma è una ricetta di Matilde."

Alfredo beve una lunga sorsata di vino bianco e sorride della laconicità della moglie.

"Matilde non vuole complimenti alla sua cucina. E poi dice sempre che niente è riuscito come voleva."

Matilde fissa il marito interrogativa.

"Che dici, Alfredo? L'ha cucinato Fulvia ed è buonissimo."

Mangiamo tutti in silenzio. Giovanni chiude la bocca, non vuole il pesce ma Fulvia glielo farà mangiare tutto.

"Allora, avete deciso quando partire?"

"Sì."

"No."

Hanno risposto insieme: Alfredo di sì e Matilde di no. Alfredo cerca di coprire il disaccordo.

"Ne stiamo parlando, io vorrei partire alla fine della settimana."

La vuole portare via.

"Allora non restate quindici giorni?"

Matilde passa con lo sguardo da me al marito, è divisa.

"Vorremmo stare ancora una settimana, ma Alfredo pensa che il viaggio fino alla Turchia è lungo e non vale la pena per una settimana sola."

Mi dispiace se vanno via. Fulvia interviene.

"Lasciali decidere liberamente, Franco, se vogliono stare noi siamo felici."

E chi dice niente? Di nuovo un silenzio, poi la voce incerta di Matilde:

"Comunque prima di partire vorrei sapere come sta mamma".

Silenzio, tutti con gli occhi bassi sui piatti. Ma se nessuno dice nulla sembra che non ne vogliamo parlare.

"Starà benissimo."

Alfredo si aggancia subito alla mia frase.

"Glielo dico da questa mattina che Sara è fatta così, quando lavora stacca tutto."

Matilde è molto turbata, lei ha un sesto senso quando si tratta della madre.

"Veramente ci siamo sentite ogni sera."

"Tu l'hai chiamata ogni sera."

Alfredo non ha un minimo di psicologia, o invece è geloso anche lui di Sara, non l'avevo mai notato.

"Va bene, ho chiamato io, che differenza fa?"

Giovanni piagnucola perché ha la bocca piena di pesce. Fulvia gli risparmia l'ultimo boccone. Cerchiamo di cambiare argomento.

"Vorrei affittare una barca per dopodomani, che dite?"

Fulvia mi risponde aiutando Giovanni a scendere dalla sedia.

"Sarebbe meglio domani, si guasta il tempo per uno o due giorni alla fine della settimana."

Non le ho detto che devo tornare in città per andare all'appuntamento con l'uomo che mi ha telefonato.

"Domani non posso, pranzo col direttore."

Fulvia mi fissa interrogativa.

"Ah, non lo sapevo."

Non so dire le bugie, mi viene un tono acuto e non riesco a guardarla.

"L'ho incontrato stamattina, vuole parlarmi."

Fulvia sparecchia e non replica. Tornerà alla carica più tardi o domani mattina col caffè. Se insiste, le racconto tutto.

"La prendo la barca, allora?"

Giovanni urla di sì, ridiamo tutti del suo entusiasmo.

"Ti ricordi, Matilde, quando abbiamo fatto la crociera in Sicilia con quel mio amico?"

Matilde sorride.

"Mi ricordo che Alex soffriva il mal di mare e tu lo imbottivi di pasticche."

Lo vedo il mio ragazzino di allora, mezzo drogato, usciva dalla cabina pallido e chiedeva:

"Quando arriviamo?".

E poi c'era stata l'avventura dei delfini.

"Ti ricordi la storia dei delfini?"

Giovanni saltella.

"Racconta, racconta, papà!"

"Una mattina all'alba, Alex era fuori a vomitare e ci ha svegliato urlando. 'I delfini! Guardate come saltano sull'acqua!' Ci siamo buttati tutti fuori dalle cabine, scrutavamo il mare con gli occhi mezzi chiusi dal sonno: neanche l'ombra di un delfino. Alex giurava che ne aveva visto un branco grandissimo e si è messo a piangere perché non gli credevamo. A noi veniva da ridere, eravamo convinti che avesse avuto un'allucinazione da farmaci. Lui piangeva, io cercavo di consolarlo e tu lo prendevi in giro."

Matilde ride, è molto più bella quando ride, dovrebbe essere più ironica e anche più cinica. Giovanni chiede di nuovo il racconto, glielo ripeto e m'interrogo sul finale.

"Chi lo sa se li aveva visti veramente i delfini, è rimasto un mistero."

Fulvia ci distribuisce i piatti della frutta. Matilde e Alfredo si alzano per aiutarla.

"State seduti, faccio io. Povero Alex, bisogna sempre credere ai bambini."

Matilde la guarda.

"I bambini dicono un sacco di bugie, pensa a Pinocchio."

Fulvia si siede e la fissa.

"Non lo credo."

"Te lo dico io, me lo ricordo. Dicono bugie principalmente per difendersi dai genitori. Alex se li era inventati i delfini, lo ha confessato a mamma quando siamo tornati. Voleva svegliarci perché non lo facevamo scendere e non ne poteva più di vomitare. Alex era il bambino più bugiardo che ho conosciuto."

Se penso alla risposta alla mia domanda sulla sua presunta omosessualità, non gli è passata.

"Teorizzava proprio la bugia, mi diceva che bisognava negare l'evidenza. Mai dire la verità su cosa senti, cosa pensi, dove sei stato. Per noi che andavamo avanti e indietro da mamma a papà, le bugie erano la salvezza."

Fulvia ora è molto interessata.

"In che senso?"

Matilde sorride di nuovo, sembra una bambina dispettosa.

"Ma è chiaro, attraverso di noi passavano le dinamiche tra papà e mamma. Noi eravamo messaggeri delle loro questioni aperte."

Bisogna assolutamente cambiare discorso, oppure andare in giardino a giocare con Giovanni. Fulvia invece insiste.

"Quali questioni esattamente, cosa intendi?, soldi o altro?"

Matilde ride.

"Soldi? No! In questo siamo stati fortunati, né mamma né papà hanno mai considerato che si potesse litigare per questioni economiche. Anzi, per fare bella figura l'uno con l'altra ci davano il doppio della paghetta. Alex era bravissimo a incassare da tutti e due!"

"Ah, facevate così allora quando con me piangevate miseria e mi dicevate che Sara era tirchia e non vi dava niente!"

Matilde sorride di nuovo furba.

"Vantaggi delle separazioni."

Fulvia è seria, non molla.

"Se non erano i soldi, quali questioni aperte erano?"

Matilde ora vorrebbe svicolare, ma non conosce la tenacia di Fulvia.

"Non me le ricordo."

"Erano così importanti e non te ne ricordi?"

"Per esempio, prima di ogni estate tutti e due volevano sapere da noi se l'altro ci avrebbe portato in vacanza a Simi. Avevano fatto un patto: dopo la separazione nessuno dei due sarebbe tornato in Grecia con noi. Lì si erano incontrati e ci eravamo andati in vacanza ogni anno tutti e quattro insieme. Ci sottoponevano a sottili interrogatori e nessuno dei due decideva dove portarci fino all'ultimo, finché non aveva la certezza che l'altro non avrebbe infranto il patto."

Fulvia mi guarda stupita, senza parole.

"Ecco perché non sei mai voluto andare in vacanza in Grecia! Potevi dirmelo..."

"Lo sapevi che Sara e io ci siamo incontrati a Simi."

"Ma non mi hai mai detto che avevate fatto il patto di non tornarci mai più."

Matilde e Alfredo si scambiano uno sguardo allarmato. Matilde cerca di tornare indietro.

"Non era un patto vero e proprio, non avevano fatto un giuramento. Si sapeva che era così. Comunque ci sono cose che restano segnate da un matrimonio, sono irripetibili."

Per alleggerire la situazione, Matilde l'ha peggiorata. "Irripetibili"! Come le è venuto in mente? Cerco di difendermi.

"Adesso non esageriamo, Simi e la Grecia non erano proibite, solo che c'erano tanti altri posti dove volevo andare con te e con loro. Isole che non avevo mai visto o altro. È normale."

Alfredo guarda sua moglie, la mia, cerca di appoggiarmi.

"È normale, quando due si lasciano non tornano volentieri con altri nei posti in cui sono stati insieme."

Fulvia taglia con precisione una fetta di anguria.

Mi alzo per andare a vedere Giovanni in giardino, sulla portafinestra sento il tono di Fulvia, arreso e dolce, che prelude alla tempesta.

"Capisco Alfredo, è umano, come dice Franco. Anche sapere che i figli di tuo marito mentivano normalmente per non riaprire le questioni tra i genitori, è umano ma inquietante. Come il fatto che nessuno abbia mai detto nulla su questo, nemmeno che la Grecia era proibita e chissà quanti altri posti o situazioni o sentimenti. Ci sono cose che restano segnate da un matrimonio, come dici tu Matilde, che sono irripetibili. È così, bisognerebbe saperlo. Ti sembra di cominciare una vita nuova con un uomo ma in realtà stai camminando sulle uova, ogni momento rischi di romperle, anche se non lo sai perché nessuno te lo ha mai detto."

Meno male che non le ho fatto leggere la lettera, qualsiasi cosa accada la distruggo. Matilde raccoglie i piatti, non sorride, è molto tesa. Io sono incerto se andare verso il giardino, incontro al mio meraviglioso figlioletto che mi chiama, o rientrare per cercare di pacificare la situazione. Mentre ci penso, Matilde è partita all'attacco.

"Be', Fulvia, non penserai che per noi sia stato facile, eppure non te lo abbiamo fatto pesare."

"No, tranne la distruzione della nostra casa, dei miei oggetti, vestiti, e poi le battute, i confronti pesanti tra me e Sara, ricordi buttati lì per caso, lacrime al momento giusto e via dicendo."

Matilde molla i piatti sul tavolo.

"Allora pensi che lo facevamo apposta?"

"Lo hai detto tu che mentivate su tutto."

"E facevamo bene, come si vede. Niente cambia, si resta sempre allo stesso punto."

È iniziata la guerra, e non ce n'eravamo accorti. È la lettera nascosta il veleno, possibile? Fulvia non cede.

"Niente cambia per chi? Non per me certo."

"Anche per te, Fulvia, non riesci a tollerare qualsiasi discorso che riguardi la nostra vita precedente a te. Altro che Grecia, papà l'ha fatto con te il patto, di cancellare tutto quello che è successo prima del vostro incontro. Non c'è una sola fotografia nella tua casa di noi da bambini con lui, non dico con mia madre, ma con lui da soli all'epoca in cui stavano insieme. Le hai bruciate tutte, papà? Alex e io abbiamo camminato sulle uova tutta la vita, con mamma, con te, con papà. Alex ha fatto bene ad andarsene, era l'unica possibilità per vivere liberi."

Torno dentro, stasera non si sfugge. Ho nascosto la lettera nel cassetto, volevo passare una serata tranquilla.

"Perché discutiamo di tutto questo proprio stasera?"

Fulvia mi guarda con durezza, si è trasformata.

"Perché come vedi, Franco, non è possibile nascondere sempre tutto."

Balbetto.

"Nascondere... cosa?"

"Perché non ci sono fotografie dei bambini con te a casa? Diglielo, a Matilde."

"Fulvia, non penso sia giusto gettare via in un attimo tutto..."

Matilde mi fissa.

"Perché non ci sono nostre fotografie, papà?"

Mi risiedo a tavola, detriti sulla tovaglia, piatti sporchi, pane, frutta.

"Non mi piacciono le fotografie in casa, e poi Sara mi aveva proibito, quando sono andato via, di prendere oggetti dal nostro appartamento."

Fulvia continua a fissarmi, non si calmerà finché non avrò detto tutto, ora vuole demolire Sara di fronte alla figlia.

"Un giorno tua madre mi ha spedito un pacco di fotografie mie con voi, me le ha fatte arrivare al giornale, tutte tagliate."

Fulvia non alza lo sguardo su Matilde, raccoglie i piatti nel silenzio. Giovanni mi chiama dal giardino. Matilde scuote la testa, ha un piccolo sorriso sulle labbra, non le dispiace del tutto quello che ha fatto la madre.

"Mamma è pazza."

Fulvia precisa:

"Non era un giorno qualunque, le ha mandate cinque anni fa, quando è nato Giovanni".

Matilde la guarda e all'improvviso sembra anche felice che si sia arrivati lì.

"Ecco, Fulvia, volevi sapere le questioni aperte. Noi stessi lo siamo: i figli, anche Giovanni."

Fulvia reagisce subito.

"Che c'entra Giovanni? Lui è figlio di due genitori che stanno insieme."

Matilde fa una risata muta. Era questo che voleva sentirsi dire: Giovanni, il figlio fortunato. Fulvia rettifica subito, ma ormai è troppo tardi.

"Non volevo dire questo, Matilde, e poi chi può dire che sarà più contento o che non ci divideremo anche noi?"

Matilde ora ha di nuovo l'espressione triste di sempre.

"Certo, chi può dirlo? Anche se spero di no per lui, comunque non è questo il problema, Fulvia. Ci si adatta alle nuove situazioni, si fanno nuove famiglie, alcuni cercando di tenere insieme quello che è rimasto, altri fuggendo. Alfredo dice che io sono l'addetta a tenere insieme. No, non è questo il nostro problema, né quello di Giovanni, di essere figli di genitori separati o che sono rimasti insieme. La questione è che nessuno smette mai di essere figlio di un amore, anche quando l'amore finisce. Questo vale per noi, per Giovanni, per tutti i figli. Ognuno si illude che sia così e ogni vita porta il segno di quell'amore eventuale."

Matilde ha espresso la sua pena, in tanti anni non era mai successo, meglio così allora. Non devo commuovermi per il dolore che le ho procurato andando via di casa, devo affrontarlo con forza. Se Fulvia non vuole sentirne parlare, peggio per lei.

"E infatti è esattamente come dici, Matilde. Tu e Alex siete figli dell'amore tra Sara e me, e questo non lo cancella nessun altro matrimonio, nessun altro figlio. Se tua madre non avesse deciso di farmi morire quando è nato Giovanni, avremmo continuato a condividere molti momenti insieme a voi. Ma così non è stato."

Matilde si alza piena di rabbia.

"E credi che sarebbe stato possibile? Che Fulvia lo avrebbe accettato? Aspetta, ancora più importante: che *tu* avresti potuto accettare il suo amore? E mamma la fine del tuo? Nessuno di noi ha mai capito perché vi siete lasciati, non ne avete mai parlato con nessuno, neanche tra di voi, come puoi pensare che sarebbe stato possibile 'condividere' qualcosa? Io penso che mamma vi ha fatto un bel favore, facendo la parte di quella che non voleva più vederti né parlarti, vi ha dato una mano a cancellarla definitivamente."

Fulvia si alza e va verso il giardino.

"Scusate, metto Giovanni a letto."

Mi tiro su e le sbarro la strada.

"No, finiamo questo discorso, non pensi che Matilde abbia diritto a farlo una volta, almeno una volta? E tu puoi accettarlo?"

"Cosa?"

"Che parlando di lei e di Alex si possa nominare la madre e la mia vita con lei. È possibile?"

Fulvia si risiede.

"Pensi che sia colpa mia?"

"Matilde vuole solo capire, non dà colpe. Sono adulti e hanno la loro vita."

Fulvia è sul bordo della sedia, pronta a rialzarsi, non guarda Matilde. Io invece la fisso: mia figlia, che rassomiglia a Giovanni, a me, a mia madre, al padre di mia madre, alla madre del padre di mia madre... e che non conosco più da anni, come l'altro figlio di cui ho perso le tracce in Canada. I nostri geni ci tengono legati alle generazioni, la nostra mente non ne è capace, non sa pensare lungo, in avanti o indietro, riassume: un individuo, io, qui, non c'è nessuno né prima né dopo.

Mia figlia si aspetta una risposta.

"Quello che cerchi, Matilde, non sono in grado di dirtelo. Forse c'è una ragione di fondo che fa finire un matrimonio, ma a chi ci sta dentro non appare chiaramente."

Matilde sorride amara.

"La separazione non cancella la vita precedente."

No, certo, ha ragione lei, ma pensare l'intimità con Sara, i giorni della nostra vita insieme, le speranze di eternità, mi fa sentire morto e finito. Non posso mentirle.

"Dal tuo punto di vista è così. Dal mio e forse anche da quello di Fulvia, la vita con tua madre può essere un ostacolo... Accentrava ogni pensiero Sara, non c'era quando la volevi, ti invadeva se desideravi la libertà e la solitudine. Non era mai opportuna. Le fotografie tagliate quando è nato Giovanni, non si fa, non si può fare una cosa del genere. Come se avesse voluto dirmi: ora hai un altro figlio, scordati gli altri due, li hai feriti a morte. L'ho chiamata quel giorno, è stata l'ultima volta che ha risposto a una mia telefonata."

Cosa ci siamo detti? Niente esattamente:

Perché lo hai fatto, Sara? È così, Franco, no? Hai dato un taglio. Un bambino è un inizio, quello che c'è stato prima, zac, finito. Ma Matilde è felice della nascita di Giovanni! Povero Franco, non si vuole rassegnare, chiude una storia e ne apre un'altra, facile come fossero libri. Matilde lo odia il tuo nuovo bambino.

Ho riagganciato: troppo intensa. Finito, attacchi il telefono e la sua voce sparisce per sempre. E invece la risenti in una lettera d'amore, tanti anni dopo, scivolata via da un'altra storia, come diceva lei nella telefonata.

Alzo lo sguardo su Matilde, su Fulvia, su Alfredo. Tutti in silenzio, tranne Giovanni che urla in giardino e se ne frega, per adesso. Ci vorrebbe un'infanzia perenne.

"Hai sofferto, Matilde, quando è nato Giovanni? Non mi sembra."

Ho anticipato la risposta. Fulvia prova ad alzarsi, mi guarda e si ferma. Alfredo vorrebbe non far parte della famiglia, stasera. Matilde sospira, pensa che la mia domanda non valga niente, come quasi tutte quelle che pongo ai miei figli:

È il tuo compagno, Alex? A me puoi dirlo se sei omosessuale.

Ora mi risponderà una bugia, come lui. Dalle menzogne dei bambini è cominciato tutto, stasera.

"No, certo, papà, non ho sofferto. Amo molto Giovanni, come potrei non amarlo?, è mio fratello."

Matilde si alza senza guardarmi, anche Fulvia, sollevata. Alfredo le segue. Tutti intorno ai piatti, ai bicchieri. Prendo io questo, tu quest'altro, non ti preoccupare, metti a letto il bambino, ci pensiamo noi, grazie. Con la mia domanda ho chiuso il sipario, fine della rappresentazione.

Sara e Milo

Non vedo, come sono arrivata in questo letto? Sono finita in un'altra storia e non me ne sono accorta. Non conosco l'antefatto. Ma tu sei ancora qui e mi ascolti, questo è il legame tra prima e ora.

Muovo la testa da un lato all'altro, vedo poco, è notte. La lampada blu sul muro, sono nel fondo di un acquario, in un letto azzurro. Pagine staccate salgono a galla lentamente.

Nuotavo in piscina, Milo nella corsia accanto a me. Avevamo preso un caffè prima di entrare, e chiacchierato.

"Com'è andato il gatto col medico comportamentale?"

Ha riso.

"Se lo è ricordato?"

"Certo, e l'ho anche suggerito al telefono a mio figlio facendolo incazzare a morte."

Ha riso più forte, come un bambino che si vergogna.

"Ci credo che si è arrabbiato."

"Mi aveva appena detto che era andato da un medico del genere, ma riconosco che l'accostamento era sbagliato. Allora il veterinario comportamentale cosa ha fatto alla sua gatta?"

"L'ha tenuta in braccio tutto il tempo, stretta al petto. Rosmarina cercava di fuggire, era terrorizzata ma lui non l'ha lasciata andare. Non l'accarezzava, la teneva stretta e basta.

Poi me l'ha riconsegnata dicendomi: 'Vedrà che la prossima volta farà le fusa'."

"Rosmarina, carino... glielo ha dato lei?"

"Un rametto di rosmarino era caduto sul pavimento della cucina, uno dei primi giorni che l'avevo trovata, lei se lo è portato nella cuccia come un orsetto di pezza, forse le piaceva l'odore."

Stesa nel letto, nel fondo dell'acquario, cerco di mettere insieme i gesti miei e suoi prima di entrare in piscina. Milo si tuffa, io scendo dalla scaletta e penso che è bello il suo corpo magro da ragazzo, con i peli solo sulle gambe. Le gambe sono state la prima cosa che ho visto di lui. Prima di lanciarsi ha dato uno sguardo al mio corpo. Mi sono fatta studiare senza vergogna, mentre metto la cuffia e gli occhialini. Te l'ho detto, non dimostro ancora la mia età. Sott'acqua ci incrociamo e una volta, tra le bollicine d'aria che escono dalla bocca, ci scambiamo un sorriso. Un'altra, sì, ora ricordo, ci fermiamo a parlare.

"Quante ne fa?" gli chiedo.

"Cinquanta. E lei?"

"Trenta. Di più non posso, devo anche lavorare, dopo."

"A cosa lavora?"

"Un racconto su un incontro tra due ominidi quattro milioni di anni fa."

"Pazzesco."

Si lecca le labbra bagnate, ci guardiamo dagli occhialini appannati. Penso a Lucy incinta che aspetta il ritorno di Hadza. A noi due immersi nella piscina con gli occhialini appannati e le cuffie nere. Pazzesco anche questo incontro.

Cosa c'è stato dopo? Qualcuno ha chiuso il sipario su quello che è accaduto quando abbiamo ricominciato a nuotare. Sul comodino blu accanto al letto blu c'è un campanello blu e senz'altro, se ci arrivo con la mano e lo premo, un'infermiera o qualcun altro dovrebbe apparire sulla porta. Così succede sempre. Ma vorrei capire da sola, senza suonare. Non mi ricordo di essermi rivestita né di aver pranzato con Milo, né di essermi risvegliata in un'ambulanza. Una pagina nuova sale lenta nell'azzurro dell'acquario. Una panchina, in un corridoio, seduta accanto a Milo, la testa appoggiata sulla sua spalla.

Apro gli occhi e mi tiro su, vedo il suo collo accanto alla mia bocca. Siamo tutti e due in accappatoio.

"Che c'è?"

"È svenuta nell'acqua. Mi ha fatto prendere un colpo. Andava giù, giù, fino al fondo. Tirarla su è stato difficile."

Il corridoio è deserto, fa caldo ma io ho quasi freddo.

"Mi ha portato in braccio?"

"In piscina mi hanno aiutato. Qui un po' camminava, altrimenti non ce l'avrei fatta."

Penso che sono una cretina a svenire proprio il giorno che l'ho rincontrato, e subito dopo che non mi sono mai piaciuti i ragazzi. Mi stacco da lui.

"Che aspettiamo?"

"Il medico."

"In accappatoio?"

Sorride.

"Il tempo di rivestirci non c'è stato."

"Cosa mi fanno?"

Mi ha stretto una spalla, ho appoggiato di nuovo la testa sulla sua.

"Niente, analisi, quello che serve, non ci pensi."

Sono nelle mani di un giovane veterinario, meglio di così non poteva andarmi. Giovanna direbbe che sono stata fortunata anche questa volta. Chiudo gli occhi.

Li chiudo anche nel letto, faticoso ricostruire il senso delle cose. Le mani sono ferme sul lenzuolo, non riesco a muoverle, sono pesanti. Gli occhi sì, ma il campanello blu è irraggiungibile. Posso riandare alla chiacchierata prima della piscina, allo scambio di battute quando ci siamo fermati durante la nuotata, alla panchina nel corridoio, ma dopo no, è chiuso. Provo ancora prima, i giorni precedenti. Tutti uguali. Ho lasciato il gas aperto, il racconto a metà, le telefonate ai figli. Franco perché non mi chiama mai? Cosa dici? È morto? Perché? Franco è vivo, perché dico in giro che è morto? Non capisco. Si è risposato? Ha avuto un figlio? Ma chi te lo ha detto? Te l'ho raccontato io? Ora ti dico la verità.

Dobbiamo partire tra qualche giorno con i bambini. Abbiamo affittato la casa a Simi come ogni anno. Ora guadagniamo meglio tutti e due, ci meritiamo la casa grande sul porto. I bambini scendono da soli al mare. Ci affacciamo dalla terrazza e li vediamo nuotare, i tubi delle maschere, le pinne che si muovono piano per non spaventare i pesci. Matilde è attaccata al fratello, lui avanti, lei dietro come la sua remora. Franco e io ci baciamo al sole, sulla terrazza, guardiamo i nostri bambini e poi mischiamo la saliva nelle bocche. Tra qualche giorno saremo lì di nuovo insieme, come ogni anno, per sempre. Non ci siamo mai mossi da lì.

"Vi siete lasciati."

Una pietra nel petto, deve uscire, fa troppo male. Campanelli, richiami, visi lontani, non posso più andare a Simi, lì dove voglio, da sempre.

È di fronte a me, mi guarda. L'acquario ora è illuminato dalla luce del sole.

"Ciao," mi dice.

E riconosco il suo sorriso. Non rispondo subito, preferisco chiarisca lui a me in che tempo e in che luogo siamo.

"Ti ricordi qualcosa?" mi chiede.

Sospiro, prima annuisco e poi storco la bocca.

"Non bene. Mi ricordo però che ci davamo del lei."

Sorride.

"Mi scusi."

"Va bene il tu, dipendo da te."

Ci pensa un attimo, esita.

"Ieri nuotavamo in piscina."

"Questo lo so."

"Fino a dove si... ti ricordi?"

"Noi due in accappatoio in un corridoio."

Ridacchia e indica l'armadio accanto al letto.

"Ho messo la tua sacca lì, ho frugato per cercare un documento."

"La fotografia della carta d'identità è orribile, sembro una vecchia."

Sorride.

"Ti mandano a casa presto, appena hanno finito i controlli."

Non mi va di chiedere, vorrei saltare subito alla conclusione ma forse non la sa o non me la dirà. Che sfortuna per lui avermi incontrato in quella piscina.

"Non devi andare a lavorare?"

Annuisce.

"Sei svenuta così altre volte?"

Camminavo per la strada, sentivo le gambe pesanti e sudavo freddo. Mi sono seduta al bar, ma non sono svenuta. Un'altra volta durante un convegno, dov'era?, e a casa, una sera. Ma ho avuto la pressione bassa tutta la vita.

"Una o due volte, col caldo è normale."

Ci guardiamo, mi fa pena, vorrei rassicurarlo ma sono preoccupata per me. Il silenzio è il momento migliore, tutto può ancora succedere, la strada non è tracciata. E se non fosse tracciata comunque?

"Ascolta, Milo. Noi due non ci conosciamo, ci siamo parlati due volte, anche se ti ho già visto in costume e tu pure. Ho una famiglia, non sono sola. Ora vai a lavorare, ti scordi di me, pensi a Rosmarina, alla tua ragazza, a tuo padre e a tua madre. A chi vuoi tu."

Ride.

"Ti faccio ridere?"

Annuisce.

"Sì, sei così diversa da mia madre. Lei non ha il tuo spirito, la butta in tragedia per niente, fin da quando eravamo bambini. Ha smesso di lavorare per starci dietro, non si fidava di nessuno. Tu invece sei forte e hai molta ironia."

Oddio!, gli ho dato un'idea sbagliata, ora mi spiattella il verdetto sullo svenimento perché pensa che non mi farà effetto.

"Non esageriamo, mio marito e anche i figli pensano che sono intensa e tragica."

Mi fissa perplesso.

"Tuo marito è morto, no?"

Non sarà facile farglielo capire, però almeno ci allontaniamo dallo svenimento, dalle analisi e tutto il resto.

"Diciamo che per me è morto."

Spalanca gli occhi molto interessato.

"Vive un'altra vita che non conosco, abita una casa in cui non sono mai entrata, con una donna e un bambino per me privi di interesse e che non ho mai visto. Se una persona con cui dividevi tutto sparisce dalla tua vita, è come fosse morta, no?"

"Insomma, non proprio. E i vostri figli come la pensano?"

"Male, la pensano male. Ma hanno dovuto accettarlo, sono cocciuta."

Guarda l'orologio.

"Vai a lavorare, farai tardi."

"Non guardavo l'ora per questo. Tra una mezz'ora passano i medici, volevo esserci."

Non è normale questo ragazzo, forse ha bisogno di un'altra madre. Ma io ho già avuto troppi problemi con i miei.

"Vivo sola da anni, Milo. E poi non ho un marito, ma due figli sì. Si occuperanno di me, se ne avrò bisogno."

"Uno però vive in Canada."

Forse sono capitata su uno psicopatico rimasto da solo in città con la gatta Rosmarina.

"Ma mia figlia è qui. Ti ringrazio molto per avermi aiutata, sei stato veramente fantastico, ora vorrei restare sola, grazie di tutto."

"Vado via?"

Annuisco. Si alza.

"Comunque ti ho lasciato il mio numero di telefono, l'ho scritto su un foglietto. L'ho messo nella borsa della piscina, dentro l'armadio."

"Grazie."

"Ti senti meglio? Puoi alzarti, hanno detto che potevi provare quando ti svegliavi. Se vuoi ti aiuto."

"Vai tranquillo."

Mi tende la mano, gliela stringo.

"Chiamami se hai bisogno."

"Certo, grazie ancora."

Lo guardo mentre si avvicina alla porta, la apre, mi lancia un ultimo sguardo e un sorriso.

Sono in una stanza a due letti, il secondo è vuoto, chissà in quale zona della città, forse lo stesso ospedale dove ho accompagnato Matilde tanti anni fa per l'appendicite. Mi metto a sedere sul letto, ho la testa pesante, devono avermi dato qualcosa per dormire. Ho un cerotto sul braccio, mi hanno preso il sangue. La camicia da notte dell'ospedale non mi copre il sedere, me la stringo in vita, mi avvicino alla finestra. È l'ospedale del mio quartiere, con un taxi sono a casa in pochi minuti. Lì ci sono i miei oggetti, i vestiti, il frigorifero semivuoto, il mio letto.

Torniamo a casa.

Apro l'armadio, frugo nella borsa, cerco il telefono. Tre telefonate di Matilde, una ieri sera, due questa mattina. Devo chiamarla. Cerco il numero, mi gira la testa, eccolo. Se c'è bisogno le dico di venire, è vicina, in poche ore arriva.

Mamma! Ciao, Matilde. Ti ho chiamato ieri sera e anche questa mattina due volte. Lo so, ho scritto fino a tardi e stamattina ho dormito. Come stai, vi divertite al mare? Sì, abbastanza, facciamo vita fami... sempre la stessa vita. E tu, non hai troppo caldo? No, sto benissimo, c'è anche l'aria condizionata. Hai messo l'aria condizionata a casa? No, dicevo qui. Dove sei? In piscina, sono nello spogliatoio della piscina. Non vuoi che torni, mamma, non ti senti sola? Scusa se te lo chiedo, lo so che ti dà fastidio... Mamma! Ci sei? Sì, ma ti devo lasciare, sono entrate delle persone, ti richiamo da casa dopo. Ciao, Matilde. Ciao mamma, però chiamami!

Sulla porta sono in tre, con i camici bianchi, mi guardano sorridendo, sarà buon segno, tu che dici?

Alex

Prima di andare a mangiare al Petit Italien, torno a casa, faccio una doccia, mi verso un bicchiere di vino. Accendo anche la televisione, senza voce perché interferisce con la mia. Non parlo da solo, non esageriamo, non sono pazzo, mi intrattengo con me stesso in silenzio. Certo mi piacerebbe avere qualcuno, o meglio qualcuna, a cui esternare i miei pensieri, ma Jacqueline fa la baby-sitter stasera e viene a trovarmi più tardi. È ancora giovane, segue un corso per infermiera e fa lavoretti qua e là. L'ho conosciuta dal panettiere, ha infilato nel sacchetto di carta due brioche calde, aveva una fossetta sulla guancia, come quelle sulle ginocchia. Le ginocchia le ho viste quando l'ho invitata a bere dopo il lavoro e mi è caduto il tovagliolino sotto il tavolo. In realtà l'ho fatto cadere apposta, esamino sempre le gambe delle ragazze che incontro. Non ha importanza che siano belle o slanciate, devono essere simpatiche. Ho pensato di mordicchiarle il pube mentre mi chinavo sotto il tavolo. Quando abbiamo fatto l'amore la prima volta, cercavo sotto le ascelle e all'inguine l'odore del pane. È canadese doc, e questo è pericoloso perché vogliono andare a vivere insieme o sposarsi. Hanno tutto sotto mano, famiglia, fratelli e sorelle, pensano a un bambino. E poi l'italiano piace, credono abbia forte il senso della famiglia. Ah, ah, non sanno come siamo cresciuti Matilde e io, non conoscono mia madre. Sono stato con varie ragazze stra-

119

niere, ricercatrici, studentesse, avevano lasciato a casa i fidanzati, era chiaro che tra noi era una storia a termine. Invece con Jacqueline devo stare attento, è giovane e canadese, inoltre studia l'italiano e vuole parlarlo a tutti i costi. Le ho detto che staremo insieme il tempo di fare esercizio. Si è messa a ridere, l'ha presa come uno scherzo.

Qui sono così pochi i mesi in cui puoi andare in bicicletta. Ogni estate è un regalo. Quando c'è il sole sono tutti felici, qualsiasi cosa gli sia capitata quel giorno, anche se li hanno licenziati o gli è morto un parente. Poi d'inverno si torna tutti sottoterra e al chiuso, come le talpe.

Nel mio appartamento non c'è nulla portato dall'Italia, anzi, non c'è proprio niente di personale, tranne i miei vestiti nell'armadio. Le ragazze vengono qui, si guardano intorno, cercano una fotografia di mamma e papà e trovano solo quella dei ricercatori del dipartimento di Paleontologia, tutti allineati sorridenti nel laboratorio.

"Questo sei tu?" mi chiedono per conferma e per essere sicure che l'appartamento è proprio mio.

Alle donne piacciono i rapporti occasionali molto più di quanto si crede, però hanno paura di trovarsi davanti un serial killer. Non posso dargli torto.

L'appartamento è sempre in ordine e pulito, non come la casa in cui sono cresciuto. Nella camera di Matilde, nella mia, in quella di mamma, nel salotto, in cucina, gli oggetti viaggiavano liberamente alla ricerca di un posto. Libri in cucina, piatti nelle camere, mutande in soggiorno. Nessuno se ne occupava. Mia madre ogni tanto urlava a noi di mettere un po' in ordine, ma la sua stanza sembrava quella di un'adolescente. Una volta alla settimana veniva una donna a pulire e passava le ore a piegare e riportare gli oggetti nei loro luoghi di origine. La prima sera dopo che ero andato a vivere da solo ho giurato a me stesso di farla finita col caos. Qui non c'è niente fuori posto: nel frigorifero trovate sempre una bottiglia di vino bianco, yogurt, vaschette di formaggi dietetici.

Il letto è sempre rifatto e la donna cambia le lenzuola tutti i giovedì, sul divano del soggiorno i cuscini colorati sono allineati come soldatini e invitano a sedersi comodamente. Un lungo ripiano vuoto sotto la televisione appesa al muro ti dice: stai tranquillo, qui governa una mente salda e coerente. Non dormo ma tengo le cose sotto controllo. Oggi, mentre esaminavo al microscopio il fossile di un molare di *Homo ergaster* di circa dodici anni, morto nella savana per un ascesso, ripensavo al dottore e alle barre cerebrali su cui dovrebbe intervenire per farmi dormire. La scienza medica è andata così avanti rispetto a quel povero ragazzino morto senza adeguate cure dentali circa tre milioni di anni fa, eppure tante cose non le risolve ancora. Non è che non credo alle barre, mi piace anche l'idea delle barre e di strumenti che misurano quello che ti passa per la testa, di un lavoro pulito e senza troppi discorsi, ma ho proprio la sensazione che qualcuno abbia estirpato per sempre dalla mia testa la funzione del sonno. Una volta, parlandone con mia madre lei mi ha risposto:

"Da bambino eri un dormiglione".

Mi chiedo cosa risponderebbe se le dicessi:

"Mamma, oggi ho avuto una eiaculazione precoce".

Ci scommetto che troverebbe il modo di dirmi:

"Da bambino eri così tardivo".

C'è una sola e definitiva verità sulle madri di oggi: quando sei bambino non vogliono ricoprire il ruolo, quando cresci non smettono più di farlo.

Mi massaggio sotto la doccia bollente, così dopo con Jacqueline sarà lungo e piacevole. Insieme abbiamo sperimentato ancora poche varianti. L'acqua calda colpisce il pene che si gonfia, con la punta della lingua stasera le accarezzo la fica, la mordicchio sopra e sotto come ho pensato di fare appena le ho visto le gambe. Non ha ossa Jacqueline, un piccolo burro morbido, glielo infilo dentro e non urla, non geme, sorride e mi guarda... Cazzo... il telefono, proprio ora.

Mamma? Non rispondo. Matilde non la trova da due giorni... Mamma è inopportuna, sempre!

Corro a pisello sciolto fino in camera da letto, seminando gocce sulla moquette.

Matilde? Ma che ore sono da voi? Alex, non riesco a dormire. Anche tu? Oggi sono andato da un medico che lavora con le barre, ti dirò se funziona... Alex, aspetta, non partire in quarta. Sono preoccupata. Per mamma? Sì, e poi stasera abbiamo discusso a tavola e dopo ho litigato con Alfredo. Tutta la vita mi cade addosso di colpo, Alex! Non riesco a fare bambini, a vivere. Ho sempre pensato che le sarebbe successo qualcosa, che era troppo sola, e ora non risponde. Sono disperata, Alex. Matilde, sono nudo, gocciolante, in mezzo al salotto... E allora copriti e aiutami! Ho bisogno di te! Non urlare, Matilde, non piangere. Aspetta, mi infilo l'accappatoio e accendo il computer, così ci vediamo e non spendiamo tutto lo stipendio. Richiamami però, ti prego, Alex! Certo.

Ma quanto si deve andare lontano per non vederli più, per non sentirne più parlare. Coglione che ho risposto! Mamma, sempre lei! Non ci lascia in pace, la tormenta. Io me ne frego ma lei non ci riesce. Serata fottuta. Se c'è una cosa che non sopporto è sentirla piangere. Piange per mamma fin da quando era bambina. Le ho sempre detto: fregatene, lei ha fatto la sua vita, loro hanno vissuto come volevano, non si sono mai posti i nostri problemi, noi i loro sempre, tutta la vita dietro ai loro drammi. E lei:

"Mamma è fragile, è sola, non è come pensi".

Fragile mamma! Un carro armato! La richiamo, cinque minuti e le dico che ho una cena. Il computer si apre sull'immagine del Lago Moraine, la prima idea che ho avuto del

Canada, la ragione per cui sono qui: acqua, montagne, silenzio, calma.

Matilde, eccomi. Alex, grazie di avermi richiamato, lo so che non sopporti le telefonate e neanche tutti questi problemi nostri, ma ho solo te, stasera me ne sono resa conto. Meno male, meglio tardi che mai. Non scherzare, Alex, ti prego. Alleggerivo un po', Matilde. Sai quante volte ti ho visto disperata sempre per le stesse ragioni: mamma, papà, i compleanni, Natale, Pasqua, le vacanze... Ma non riesci a vivere senza di loro? Tu ci riesci, Alex? Certo, per questo sono qui. E stai bene lì? Benissimo, lavoro, scopo, non dormo, questo è vero, ma pare che si possa vivere anche con gli occhi sempre aperti e la mente in funzione. Non sei stanco, Alex? No, per niente, ogni giorno mi alzo fresco e pronto all'azione. L'idea che non dormi mai mi fa sentire stanchissima. Matilde, mi hai chiamato per parlare della mia insonnia ormai più che decennale o per spiegarmi perché sei così disperata? Non ho tanto tempo, tra meno di un'ora devo essere a una cena. Non hai mai tempo per nessuno, Alex. Matilde, che succede, piangi di nuovo, perché? Vuoi saperlo, Alex, vuoi la verità? No, non la voglio. La verità come sai non mi è mai piaciuta, però se piangi sono costretto ad ascoltarla. Vorrei vederti forte e felice, ma non ci riesci, scoppi a piangere e dici che hai solo me, e allora come faccio a non ascoltarla, la verità, sono obbligato Matilde, anche se vorrei scappare a gambe levate ed essere sulla riva del Lago Moraine con la mia tenda. Non ci sono rumori, solo sciabordio dell'acqua turchese davanti ai piedi nudi – ho camminato, sudato e sono senza forze –, in lontananza grigie le Montagne Rocciose, verde intenso i boschi dove vivono gli orsi bruni. Li vedi Matilde?, ti ho distratto, non pensi più a mamma finalmente? Ti è entrata nella testa la bellezza del lago, la grandezza del mondo, l'infinità delle cose che abbiamo da fare? Ci penso lo stesso, Alex, sempre. Mentre raccontavi, mi sono ricordata delle storie che ci portava dall'Africa, da Laetoli, delle orme degli ominidi, del libro che mi aveva disegnato per raccontarmi l'evoluzione. Odiavo l'Africa perché la teneva lontana da me, la sua libertà era la mia schiavitù. Hai gli occhi rossi Matilde, non invecchiare prima del tempo! Mi vuoi ascoltare, Alex, riesci a stare zitto per un po'? Sì, va bene, solo per te sorella.

Nessun amore della mia vita è forte come quello per Sara, così mi ha detto Alfredo stasera, come una colpa. Gli ho risposto che forse è vero, e poi me ne sono pentita perché l'ho ferito. Lui vuole essere l'amore della mia vita, come Fulvia vuole essere l'unica donna della vita di papà. Tutti cercano di fare sparire Sara, anche tu. La chiamo col suo nome, perché è alla donna che penso sempre, non alla madre. Non è stata capace con noi, non sapeva fare niente come le altre, mi mancavano sempre almeno due bottoni dal grembiule, non ritirava mai i libri di scuola, cambiava umore di continuo, e dopo un po' che stava a casa non vedeva l'ora di ripartire. Ti ricordi, Alex, la coperta che ho cominciato a lavorare all'uncinetto dopo la maturità? Mamma mi prendeva in giro, e anche tu. Dicevate che sembravo Penelope che aspettava Ulisse. Era vero, cercavo di aggiustare le cose, preparavo la cena per te e per lei, aspettavo qualcosa che mi avrebbe colmata. Non riuscivo più a leggere, a pensare. Poi te ne sei andato a vivere per conto tuo e la casa è diventata ancora più scura e senza speranza. Mamma non se ne accorgeva, poi una sera le tornava tutto davanti, passava la notte a pensarci e si addormentava vestita sul divano. La mattina, guardandola dormire, mi si spezzava il cuore. Era invecchiata, ma era sempre bella e intensa. Avrei voluto stendermi accanto a lei come da bambina. Ti ricordi, Alex, quando litigavano e mamma mi portava a dormire nel suo letto e tu dividevi la stanza con papà? E anche quando papà se n'è andato, la notte mi alzavo perché avevo sognato che stava piangendo, la guardavo dormire anche allora. Poi mi mettevo sotto le coperte, le aprivo le braccia, mi ci infilavo dentro e gliele richiudevo dietro le mie spalle. Che buon odore aveva mamma, ho cercato quel profumo e non lo trovo più. Tutti dicono che le figlie pensano sempre al padre, io no, ho lei nella mente, nel cuore e anche nel corpo evidentemente, perché non riesco a procreare. Davanti al divano, quando papà l'aveva lasciata, pensavo che non era riuscita a tenersi un uomo accanto. L'indomani lei si svegliava di nuovo piena di energia, scherzava, lavorava e mi spingeva a partire, a visitare il mondo. Più mi incoraggiava ad andarmene, più volevo restare con lei, come le patelle che staccavamo dalla roccia col coltello. Se fosse crollata, se si fosse arresa e mi avesse detto: "Matilde hai ragione, ho sbagliato tutto, avrei dovuto essere una madre migliore, una moglie più amorevole", allora il laccio che mi teneva attaccata a lei si sarebbe allentato. La mia strada sarebbe stata chiara: fare l'esatto contrario di quello che lei aveva scelto. Ma lei era sempre lì, trionfante, battuta e incrollabile. Avevo sempre paura che le succedesse qualcosa, in Africa o qui, e voglia che cadesse finalmente, e mi lasciasse libera di vivere la mia vita. Avrei accudito Alfredo, i miei figli, la mia casa, come lei non aveva fatto, perché io lo so fare e ne so godere, Alex! Ma mamma non si è mai data per vinta, non lo ha mai detto. La prima sera che ho dormito con Alfredo, nella nostra casa, sotto la coperta che avevo finito pochi mesi prima, mi sono svegliata all'improvviso in piena notte. Dov'era mamma? In Africa, qui? Mi sono ricordata del matrimonio, della mia nuova vita, ho pensato: "Lei invecchierà, le farò dei nipotini di cui si dovrà occupare, non avrà più la forza di andare in Africa, la inviterò a pranzo, a cena, metterò la casa in modo che a lei piaccia, e forse, chissà, tra un po' di anni verrà a vivere qui con me e io la curerò fino alla morte". Mi sono addormentata serena. Capisci, Alex? Ci sei, Alex? Sì, ci sono, mi formicolano i piedi e i capelli mi sono asciugati tutti storti, ma ci sono. E ora sono sicura che le è successo qualcosa, Alex, ne sono sicura. Stasera ho litigato con Alfredo e lui mi accusava di essere troppo attaccata a lei, ho giurato che se non le è successo nulla non vorrò più che cambi neanche di una virgola, le dirò di partire quando vuole, che non è obbligata a pranzare con noi neanche a Natale, che è libera, completamente libera di dimenticarci. Alex, le è successo qualcosa, vero? Papà non se ne preoccupa, a chi importa qualcosa di lei? Perché sospiri, Alex? Be', ho un peso sullo stomaco, tra lo stomaco e il petto, una specie di cavità in cui mi hai deposto con la tua grazia un macigno di una cinquantina di chili. Non scherzare, Alex! Non scherzo, Matilde, è vero. Vedi, stasera ho avuto la prova della tua superiorità: io non avrei mai potuto inoltrarmi come hai fatto tu in questi grovigli, mai voluto avventurarmi nella personalità intensa e contorta di nostra madre. Mi hai ricordato del periodo in cui dormivano separati e papà si era rifugiato nella mia stanza. Ce la siamo spassata noi due, Matilde. Giocavamo come forsennati a Subbuteo, ci passavamo i "Tex", gli raccontavo di me a scuola. Me lo ricordo come un periodo felice. Papà se la godeva con me, e io ho pensato che se si fossero divisi gli avrei chiesto di portarmi con sé. Alla fine non lo hai fatto, però. Sì, gliel'ho chiesto, ma lui mi ha detto che non poteva, aveva appena incontrato Fulvia, diciamo che non voleva. L'ultima volta che sono venuto in Italia mamma mi ha invitato a pranzo, abbiamo digiunato insieme. Parlavamo di ominidi, almeno abbiamo questa passione comune per gli esseri pelosi che hanno avuto la malasorte di diventare umani, lei mi chiedeva delle ultime novità per la datazione dei denti. Discutevamo di esseri mutanti, l'anello di cambiamento verso altre forme di vita. D'un tratto ho pensato due cose: questa donna non è mia madre. Sapevo che lo era, ma non lo sentivo. E poi, un altro pensiero: lei stessa è un essere mutante, ci è capitata una madre frutto di una clado-genesi. Sai cos'è? No. Ma ti tappavi proprio le orecchie quando mamma raccontava del suo lavoro! La cladogenesi è il brusco distacco di una specie da una linea evolutiva. Non succede spesso nell'evoluzione, nella norma una specie nasce dall'altra in un lunghissimo periodo di tempo, ma per esempio il cambiamento che ha prodotto il genere *Homo* è una cladogenesi. Così è successo a noi due, Matilde: nostra madre si è staccata bruscamente dalla linea evolutiva e ha dato inizio a una nuova specie, il suo corpo può ancora pro-creare, ma la sua mente sta evolvendo in qualcosa di scono-sciuto anche a lei. E poi i due pensieri sono diventati uno solo: è normale che io non senta che è mia madre, lei è una forma umana di transizione, io sono nato da un nuovo ramo dell'albero, diretto chissà dove. E ti sei sentito bene, quan-do l'hai pensato? Insomma, nessuno è contento di fare da cavia in un esperimento, ma per consolarti ti dici che stai partecipando a un grande evento evolutivo, che dovresti es-serne fiero. Un giorno, spazzolandoti i canini, diranno di te: era il figlio di una nuova specie, non ancora adattata alle nuove condizioni ambientali, ma dalle difficoltà, come sem-pre, nascono esseri nuovi. Mamma però è rimasta con noi, ci ha cresciuti, non si è mai risposata, ci amava, Alex! Sì, forse sì, ma non so se amasse se stessa mentre lo faceva. ...Ci sei, Matilde? Sì, sei un uomo profondo, Alex, più di quanto pensi. Certo che lo sono, ma preferisco camminare, sudare, il silenzio del lago e delle montagne, la mia solitudine qui. E io che ti conosco, aggiungerei giocare a Subbuteo, leggere "Tex" e non farla troppo lunga. Esatto, ora vai a dormire, Matilde, mamma è una grande egoista, sarà da qualche par-te a finire il racconto e di noi non ne vuole sapere. E tu, Alex, tu di me vuoi saperne? Non fare la sentimentale, Ma-tilde, ti voglio forte e felice. Comunque sì, di te voglio sape-re sempre. Mandami una tua fotografia, una di adesso, non con i codini, la voglio mettere nel mio salotto, così almeno le donne che ci porto si sentiranno rassicurate dalla presenza di una sorella. Sei uno stronzo, Alex, dovrai innamorarti di una donna prima o poi! Buonanotte, Matilde. Buona cena, Alex.

La fotografia potrei metterla sul mobile bianco, giusto per spezzare il vuoto. Uno fa tanto per farsi un progetto della serata – doccia con masturbazione, bicchiere di vino, musica, Petit Italien, scopata con Jacqueline – e poi una telefonata ti manda tutto a monte. Respira, Alex, allontana il disordine da te, la dipendenza, la paura, il ricordo del giorno che hai visto il padre fare le valigie ed era compito tuo, ora, starle accanto. Papà non ha mai saputo niente di noi, ma almeno non pretendeva che capissimo lui. Quando mamma spariva in Africa, lui beveva, riprendeva a fumare, la sera usciva con delle "amiche". Gli mancava l'energia di Sara, il modo in cui travolgeva ogni abitudine e ci dava la sensazione eccitante e pericolosa di vivere alla giornata, che niente in fondo la legava a nessuno. Papà lasciato solo ci telefonava dal giornale, faceva sempre le stesse domande e raccomandazioni: scuola e compiti, arrivava la sera con le pizze, ci addormentavamo tutti e tre davanti alla televisione. Il sabato e la domenica ci portava al parco a giocare e da nonna a pranzo. Ma era ancora lui davanti a mamma, nella gioia e nel dolore, nella salute e nella malattia, nella presenza e nell'assenza, il ruolo era il suo in ogni caso. Telefonate d'amore, litigate, discussioni, io dormivo nella mia stanza con la porta chiusa, il cuscino sulle orecchie. Poi sono diventato il capitano della nave e anche l'unico uomo a bordo. Matilde dice che non riesce a procreare per via di mamma, io non posso avere una donna per più di sei mesi. Se si va oltre la conoscenza profonda e silenziosa del sesso, di una bella mangiata al ristorante ogni tanto, di discorsi leggeri, devo mollare. Inutile spiegare il perché, anche questo mi affatica. Solo due immagini: in cucina, accarezzo la mano di mamma che piange e dice che la sua vita è finita. Due settimane dopo accarezzo la mano di Matilde con la febbre alta: Sara è ripartita, papà al lavoro, io devo tenere il timone dritto verso una destinazione sconosciuta, la tempesta può colpire sempre e all'improvviso.

Il Lago Moraine, questo appartamento, il bicchiere di vino, le ginocchia di Jacqueline, le barre, ben vengano anche le barre, basta che ci sia un futuro semplice e possibile davanti a me.

Giorgio e le due Sara

L'ho voluta incontrare, non so neanche io perché. Questa mattina ho chiamato Franco, gli ho raccontato della ballerina Sara Fiore, del video della nostra Sara in cui si sentiva male. Gli ho chiesto se pensava fosse utile fare un'indagine negli ospedali. Mi ha detto di sì. Ho attivato il collega della cronaca e poi ho ricontattato la seconda Sara via computer, le ho chiesto di vederci.

"Ci penso un po' e le scrivo."

Cercavo di uccidere il tempo nel mio loculo televisivo e pensavo al perché avevo sentito il desiderio di conoscerla. Il nome sicuramente, la professione – non ho mai conosciuto una ballerina – e il nostro comune datore di lavoro, la Rai. A metà mattinata si è ricollegata.

"Scusi, ma ho fatto un po' di indagini su di lei."

"Bene, mi racconti chi sono."

"Quello che mi aveva detto, un impiegato Rai di seconda fascia, ma l'avverto che è uscito fuori anche un altro Giorgio Piave, fa ritratti di gatti."

"Un pittore di gatti? Possiamo chiamarlo, che dice?, così ci vediamo a coppie, due Sara Fiore e due Giorgio Piave, e chissà come va a finire."

"Ma poi l'ha trovata l'altra Sara Fiore?"

"No, ancora no. Le va allora di vederci?"

"Va bene. Vengo al centro di produzione, tanto devo ritirare la copia di un vecchio contratto. Va bene all'una, alla mensa?"

"Va bene, le metto da parte l'insalata che va via subito."

Mi guardo intorno, ho scelto il tavolo migliore, accanto alla finestra, polverosa come tutte le altre, ma almeno c'è luce. Come sarà questa Sara Fiore? Dalla fotografia sembra giovane, magra, bruna. Due madri, lontane nel tempo e nello spazio, o magari vicine, hanno scelto lo stesso nome, si sono dette:

"Accanto a Fiore sta bene Sara, la chiameremo Sara Fiore".

O magari era il nome di una nonna, o di una zia.

Da ragazzi si facevano gli scherzi con gli elenchi telefonici.

"Pronto, il prof Belli, l'otorinolaringoiatra?" "Sì." "E allora si pulisca le orecchie." E giù una pernacchia clamorosa.

Oggi con i cellulari non si può: nessuno sa dove sei quando telefoni, ma il tuo numero viene fuori appena chiami. Una donna bruna chiede informazioni alla cassa, viene verso di me. I capelli corti, il viso scavato, magra, avrà quarant'anni, più che nella fotografia. Mi alzo.

"Buongiorno."

"Buongiorno."

"Mi siedo?"

"Forse andiamo a prendere da mangiare, che dice?"

Ci mettiamo in fila.

"Viene tutti i giorni a pranzo qui?"

"Il sabato e domenica per fortuna no. E lei come mai è ancora in città?"

"Ho un balletto in un teatro all'aperto."

Ci confrontiamo sui piatti che sembrano meno morti. Ha un bel collo, tiene la testa dritta, ha braccia muscolose e anche le gambe saranno così. Forse dimostra più dell'età che ha, come gli atleti. Ci sediamo uno di fronte all'altra.

"Allora Sara Fiore, la sua amica, che fine ha fatto?"

"Non lo so, non lo sa l'ex marito e ai figli lui non ha neanche detto della lettera."

"Quale lettera?"

"Una lettera d'amore a lui in cui gli dice di lasciarla andare, di non parlarne ai figli. Tutto questo glielo ha comunicato un uomo che l'ex marito deve incontrare oggi."

Mi guarda, mette in fila le notizie.

"Molto misterioso."

"Sara è sempre stata enigmatica, complicata anche."

Fa piccoli bocconi, sorride.

"Una bella donna."

"Lei trova?"

"Non me la ricordo bene, nel video sembrava un tipo deciso, mi è rimasta in mente."

"Sì, era Sara. Lei che tipo è?"

Sorride e arrossisce un po'.

"Non troppo enigmatica, complicata forse anche io un po'. Lei ha figli?"

"No, perché me lo chiede?"

Esita, prima di rispondere.

"Non penso che tra noi succederà nulla, ma se un uomo è sposato e ha figli non ci vado fuori neanche a prendere un caffè."

"È cattolica?"

Ride.

"Sono stata un'amante per dieci anni. Non ha mai lasciato moglie e figli."

"Dunque lei non chiede per prima cosa a un uomo se è sposato, ma se ha figli."

Annuisce.

"Anche da sposati e senza figli non se ne vanno comunque di casa, ma almeno non mi sento in colpa. E allora, l'altra Sara era divorziata?"

"Sì, da molti anni. Sono stato il suo amante per un po' di tempo, quando si sono separati. Ero amico, sono amico, anche del marito."

Ci pensa un po' su.

"Una bella insalata."

"Quella che sta mangiando?"

Ride di nuovo.

"La vostra... e Sara ha continuato ad amare il marito."

"E io a pensare a lei."

È stupita.

"Non si è mai consolato?"

"Molte volte, sono sempre consolato. Ma non mi è mai uscita completamente dalla testa."

Sospira.

"Le storie non finiscono mai, anche quando sono finite da molti anni, decenni, basta un pensiero e ci tornano tutte intere davanti."

"Lei è una Sara Fiore molto filosofa."

Sorride.

"Mi è successo tante volte. Anni fa ho incontrato il mio amore sposato in un supermercato con la moglie e la figlia più piccola. Ci siamo salutati, ero così turbata che sono uscita senza pagare, mi ha fermato la vigilanza, ho dovuto raccontare che avevo incontrato un mio ex. Il tipo del supermercato ha capito subito, mi ha lasciato andare, ma prima mi ha raccontato la sua storia che era quasi identica alla mia. Mettiamo il passato dietro le spalle ma il passato è sempre lì, pronto a venir fuori."

"È sempre bello ballare, anche quando lo si fa da molto tempo?"

"Non sono così vecchia! Comunque sì, è bellissimo. Ora insegno anche in una scuola. Ho quindici bambine e un bambino."

"Poverino."

"Ma no, è il beniamino di tutte. A lei piace ballare?"

"Ci andavo qualche volta con una fidanzata giovane."

"Le piacciono le ragazze?"

"A chi non piacciono?"

"A me. I ragazzi non mi sono mai interessati."

Una frase che ho sentito dire anche all'altra Sara.

"Anche Sara, l'altra, lo diceva."

"Di sicuro anche le giovani che la consolano, dato che stanno con lei."

Il suo stesso sarcasmo, comincio ad avere la strana sensazione del déjà vu.

"Mi manca l'altro Giorgio Piave."

Ride.

"Perché?"

"Per giocare a 'Trova le differenze'. Andiamo a prendere il caffè?"

"Dentro o fuori dal centro?"

"Fuori direi, facciamo una passeggiata. Agli impiegati di seconda fascia è concessa un'ora d'aria."

Camminiamo vicini sulla strada polverosa, se non la guardo penso di avere l'altra accanto a me. Veniva a trovarmi qualche volta, tanti anni fa. In poche parole demoliva l'azienda, criticava che non avessi niente da fare, mi diceva di andarmene, di cercarmi un posto di gente viva. Non avevo il suo coraggio. Questa Sara ha i piedi piccoli e forti, niente smalto, gambe magre, sul polpaccio si disegna il muscolo a ogni passo. Tiro indentro la pancia, vorrei essere più in forma. Non mi capita mai di desiderarlo quando sono con una donna molto più giovane di me, non sono le mie qualità fisiche che l'hanno attirata, anzi. Invece, con le gambe muscolose di Sara seconda accanto non mi sento ben conservato, penso che dovrei andare in palestra.

"A essere ballerina ci guadagna il fisico. Dovrei fare un po' di ginnastica."

Scorre con lo sguardo sulla pancia.

"Addominali, bastano solo pochi esercizi fatti ogni giorno."

Potrebbe insegnarmeli lei. Immagino la sua casa: piccola, quasi un'unica stanza, all'ingresso la sacca con le cose da ballo, una giacchetta, un cappello. Sul letto forse un orsetto da bambina, che toglieva ogni volta che l'uomo sposato le concedeva una serata. Gli cucinava anche qualcosa prima. Almeno di questo non mi sentirò mai in colpa.

"Sara Fiore."

Si volta sorpresa.

"Raccontami le cose fondamentali della tua vita."

Ci pensa.

"Mia madre che abita sola in un paese in provincia di Arezzo, una sorella che vive vicino a lei con due figli e un marito, la mia casa, il ballo."

"Lo sai che l'altra Sara è di Prato."

"Dai! Io di San Giovanni Valdarno."

"Non hai accento."

"L'ho perso, però quando torno a casa ricomincio a parlare come loro. Giorgio Piave, adesso dimmele tu le cose fondamentali della tua vita."

"Dipingo gatti di tutte le specie..."

Entriamo ridendo nel bar, ordiniamo i caffè, io ristretto e lei lungo. Mi guarda un po' in silenzio, ha un neo sopra la bocca, occhi molto scuri.

"Allora? Sto aspettando."

Da dove comincio?

"Se fossi un ballerino, sarei un ballerino di terza o quarta fila. Non mi considero sfortunato, esamino la vita degli altri e mi sembra sempre più interessante della mia. Ho molta immaginazione, spirito di osservazione ma non attitudine per le scelte drastiche e per l'azione. Sono dolce e aspetto, per questo forse piaccio alle più giovani..."

Non sorride, è molto seria.

"E dunque non sei mai entrato nella tua vita."

Non l'avevo mai considerata così.

"Non l'ho vista, altrimenti ci sarei saltato dentro."

Sospira e sorride.

"Anche io sono una ballerina di fila, siamo secondi ruoli, caro Giorgio Piave. Ci ho pensato spesso per me, non è che siamo inutili, anche se senza di noi gli interpreti potrebbero continuare a ballare. Ma ogni tanto entriamo e arricchiamo la scena che altrimenti diventerebbe un eterno pas de deux. E poi con noi i primi ruoli possono rilassarsi, parlare d'altro. Noi li vediamo anche in modo diverso e questo gli fa piacere. Mi sembrava certe volte di conoscere il mio amore sposato meglio della moglie e mi illudevo che per questo l'avrebbe lasciata. Invece era solo una deviazione, in fondo le chiamano avventure."

"E che succede a due secondari che si incontrano?"

"Non lo so, non mi è capitato. Zucchero?"

"Uno."

"Meglio di canna."

Mi tende la bustina, ha un bel sorriso.

"Non voglio farmi i fatti tuoi, ma lo zucchero è la prima cosa da eliminare."

I fatti miei. Sara Fiore, ovunque tu sia, io qui ne ho trovata una secondaria che potrebbe anche diventare principale.

Sara e Milo

È andato via, sono seduta al tavolo della cucina, ancora incredula per quello che è successo. Entrando con la bottiglia di vino bianco in mano, Milo mi ha chiesto chi c'era a cena con noi, mi sono accorta solo in quel momento che avevo apparecchiato per tre.

"Che scema, devo aver pensato che ero qui con i miei due figli, riflesso condizionato, anche se sono fuori casa da molti anni."

Non potevo dirgli che avevo apparecchiato anche per te, mi avrebbe preso per pazza. Ho tolto il tuo piatto e ora ti racconto com'è andata. Ma prima di questo, a te, solo a te, dirò la verità sulla mia situazione. Ho il morbo di Parkinson. I tre medici col camice bianco mi hanno rassicurato: oggi si cura, sono giovane e ho molti anni davanti a me, sono anche una bella donna (a uno dei tre visibilmente piacevo), posso avere una vita normale. Li ho ascoltati e la prima cosa che capita in questi casi è che non credi a una sola parola che ti viene detta. Ti guardi intorno per sapere a chi e di chi stanno parlando. Poi realizzi che sei tu, cerchi di ragionare e di difenderti.

"Ma non ho mai avuto tremori..."

"Scrive al computer?"

"Sì, come tutti."

"Non ci si accorge più del tremore. Un tempo, scrivendo a mano, si percepiva subito."

Mi hanno fatto stendere le mani. Senza dubbio, malgrado cercassi di tenerle ferme, tremavano.

"Però mi tremavano anche da giovane," ho detto tirandole giù.

Mi hanno spiegato che la conferma l'avrebbero avuta dalla risonanza, ma che ne erano certi. Mi hanno chiesto se mi sentivo stanca. Ho pensato che alludessero allo svenimento in piscina.

"Non avevo dormito bene la notte e ho nuotato troppo a lungo."

Hanno sorriso e poi hanno cominciato a parlare delle cose da fare. Te le risparmio. Mentre dettavano norme di vita e medicine, pensavo a un articolo che avevo letto da poco nella sala d'aspetto del mio medico: un'intervista al cardinal Martini sul suo Parkinson. Perché lo avevo letto? Non seguivo il personaggio e non sono cattolica. Perché quella vecchia rivista era lì? Sembra che ci siano fili intorno a noi, galleggiano nel vuoto in cerca di una connessione e a un certo punto, per ragioni che non sappiamo, la trovano.

Nella sala d'aspetto del medico da cui ero andata perché sentivo pesantezza alle gambe e alle braccia, avevo letto l'articolo e poi l'avevo dimenticato. Il medico mi aveva raccomandato di fare sport, così mi ero iscritta in piscina. Invece era tutto già lì: la pesantezza alle gambe e alle braccia, l'articolo sul cardinale. I tre medici mi raccontavano come sarebbe stata la mia vita in futuro e io pensavo a Martini che riusciva a ritrovare il ritmo della camminata ascoltando Mozart a tutto volume, e alle ragioni per cui malato era andato a vivere a Gerusalemme.

"Perché è da lì che veniamo."

Aveva detto così. Per me invece veniamo dalla Rift Valley, per la precisione da Laetoli, Ngorongoro Conservation Area, Tanzania. Mi era venuta in mente la mia stanza al Leakey's Camp, accanto al museo. Il letto di ferro, il comodino. L'avevo prenotata per gli ultimi mesi del mio anno sabbatico, per finire di scrivere il racconto.

Stesa sul letto, mentre aspettavo l'esito della risonanza, pensavo a Matilde, era lei che avrebbe avuto tutto il peso della mia malattia. Mi era tornata in mente la mattina in cui mi aveva soccorso, quando avevo messo il piede in una buca e me lo ero rotto. Ero stata ingessata per un mese e lei mi aveva accudito come una madre affettuosa, perfetta. Lo faceva con piacere, mi aveva anche chiesto se volevo trasferirmi a casa sua.

"Non se ne parla. Io resto qui e non voglio che tu cambi vita, prendo un'infermiera se mi serve, non ho bisogno di te."

Si era messa a piangere, i tipici salti di umore che aveva anche da bambina. L'avevo abbracciata.

"Non posso essere diversa da quella che sono, Matilde. Non sono riuscita a vivere con tuo padre, non vivrò con altri."

Ora come si farà? Non ci sarà scampo alla sua cura, non sarà mai più libera. Né lei né io.

Dovevo anche sbrigarmi ad andare a trovare Alex, stare con lui dei giorni nel paese che si era scelto per vivere, passeggiare, mangiare insieme, chiacchierare senza fretta, prima di non riuscire più a parlare. Era importante capirci fino in fondo, sapere cosa mi rimproverava, perché non aveva una donna, perché aveva scelto l'esilio. Dopo non ci sarebbe stato più tempo. Dopo quando? Per quanto tempo avrei potuto lavorare, scrivere, dialogare?

E poi come sempre ho pensato a Franco, alla fortuna che aveva avuto di divorziare, di non avere ora una moglie malata da accudire. In fondo si era trovato un'infermiera per i suoi anni da vecchio, si poteva anche vederla così.

Se fossimo rimasti insieme non glielo avrei detto subito, o invece sì, la sera stessa, e lui mi avrebbe rassicurato. Aspettando la risonanza, ho cominciato a inventarmi un altro film, come faccio sempre quando mi permetto di pensare a lui. Mi capita al mare, stesa al sole, con gli occhi chiusi, m'immagino di essere a Simi e lui si avvicina, mi dà un bacio e io sono abbastanza furba da non rifiutarlo. Ora forse lo saprei fare, ma no, neanche adesso. Sarei sospettosa, come sempre. Cosa mi chiederà in cambio? Di restare, di non partire.

Anche a letto, la mattina, sogno qualche volta che si è alzato per preparare la colazione e poi tornerà col vassoio, e l'odore del caffè entrerà nella stanza. Ho potuto rinunciare a vederlo, a parlargli, ma toccarlo, mettere il viso nell'incavo del collo, stare così, fermi, in silenzio, non mi rassegnerò mai ad aver perduto la sua pelle.

Tornando a casa, dopo la risonanza, gli avrei detto:

"Secondo i medici piano piano diventerò un'altra, Franco, accartocciata e rigida come un pezzo di legno, parlerò e camminerò sempre peggio".

Lui mi avrebbe risposto:

"Piano piano diventiamo tutti altri. Che t'importa, abbiamo tanti anni ancora davanti, ti curerai, staremo bene, andremo in giro, a Simi, e poi magari mi ammalerò anche io e i nostri figli ci metteranno in un ospizio insieme".

Franco avrebbe trovato esattamente il tono giusto per commentare il fatto, per questo ci eravamo messi insieme, a nessuno dei due piaceva fare drammi, eravamo attivi, disincantati, cercavamo le soluzioni, sapevamo il limite del rapporto con l'altro, quello che ti può dare e quello di cui devi fare a meno e cercare solo in te stesso. Eravamo nati per stare insieme.

Perché ci eravamo lasciati? In quei momenti mi sfuggiva il senso di quello che era accaduto tra noi.

Tu che mi ascolti, lo capisci?

Poi ero tornata a casa. Per alcuni giorni avevo fatto finta di nulla con me stessa. La mattina prendevo le medicine ma cercavo di ignorare la malattia. La sera scrivevo il racconto: Lucy aveva partorito il suo cucciolo. Hadza era ritornato e lei aveva nascosto il bambino in modo che lui non lo uccidesse. Si era fatta riconoscere tra le altre sdraiandosi a terra davanti a lui, come aveva fatto la prima volta, in modo che lui capisse che era lei, Lucy, e che gli era sottomessa. Hadza l'aveva penetrata di nuovo e la sera dopo l'aveva cercata. Era un buon inizio. Durante la giornata, quando lui era in giro con gli altri, lei accudiva il cucciolo, gli insegnava i gesti e i suoni per rimanere in vita. Il cucciolo aveva la sua stessa malformazione ai piedi: l'alluce e l'indice si toccavano quasi. Avrebbe camminato in fretta.

Matilde mi chiamava ogni sera, non facevo domande su come andavano le vacanze col marito e con la nuova famiglia di Franco. Certe volte le sfuggiva qualcosa, ma era pronta a cambiare discorso.

"Ho insegnato al bambino il morto a galla... Ho imparato... un nuovo modo di cucinare il pesce, quando torno ti invito a mangiarlo da noi."

Una sera le avevo chiesto senza rendermene conto.

"Come sta papà?"

C'era stato un silenzio, poi aveva risposto esitante.

"Bene... lo vedo un po' invecchiato."

Forse l'aveva detto per farmi contenta.

"Be', anche lui ha i suoi anni."

Però lui non è malato, avevo pensato.

"Tu sembri giovane, mamma! Ora vai anche in piscina, diventerai un'atleta."

La notte l'avevo passata a ragionare sulla malattia, sul futuro. I dettagli della decadenza fisica, mentale. All'alba mi ero alzata senza forze, davanti alla finestra bevevo il caffè, faceva ancora fresco. Nel palazzo se n'erano andati tutti, anche la portiera, tranne il malato di ottant'anni con l'Alzheimer e la sua badante. Le loro finestre erano socchiuse, ogni tanto vedevo lei sul terrazzino che fumava una sigaretta. Ci facevamo un cenno di saluto come due naufraghi sulla stessa isola. Sarebbe successo così anche a me, di passare l'estate in quel modo, o forse peggio, di impedire le vacanze ai miei figli. Sai cosa ho pensato?, lo dico a te che ora sai molto della mia vita: che non era giusto. Ero partita tante volte quando erano piccoli, li avevo lasciati senza farmi troppi problemi. Si erano adattati, e ora stavo preparando loro questa bella sorpresa finale.

Nel primo pomeriggio avevo chiamato Alex.

Mamma, che succede? Perché mi chiami? Non ho dormito questa notte, come succede a te. A me tutte le notti, mamma. Perché sei sempre polemico, Alex, ti dà così sui nervi la mia voce? Mamma, che c'è, stai male? Male? perché? Mi stai chiedendo la sensazione che mi provoca la tua voce al telefono? Perché ti stupisci, Alex, era una domanda semplice, naturale. Se ti ha turbato non dirmelo, anzi, facciamo così, non te l'ho mai chiesto. Ecco che torni a essere la mia mamma di sempre. Cosa vuoi dire? Tra noi queste domande non si fanno, non sono nel modo in cui interagiamo da trentadue anni, non è nella nostra relazione questa domanda. La nostra relazione, Alex? Con una madre non si ha una relazione. No? e perché? Io invece penso che tra noi ci sia proprio una relazione. Un legame vuoi dire? Assolutamente no, niente legame, non mi hai mai legato per fortuna. Alex, cosa senti per me? Sono veramente molto preoccupato, mamma! Hai preso delle medicine? Dimmi la verità! ...Questa mattina, Alex, ho avuto voglia di telefonarti, anche se non è il giorno che ho scritto sul calendario. Quanti mesi è che non torni? Mi pesa la tua assenza, voglio venire a trovarti. Ti farebbe piacere? ...Mi siedo mamma, prendo la tazza del caffè che mi si fredda, rifletto. Papà è venuto, penso che dovrei aspettarmi una tua visita prima o poi, potresti portare con te Matilde. Ti piacerebbe se venissi con tua sorella? Direi di sì. Non ti va di stare solo con me, Alex, è una cosa che ti imbarazza, vero? Hai sempre preferito stare con tuo padre! Tabù, mamma, questo capitolo è chiuso, è stato detto tutto. Non credo. Io penso di sì, almeno così è per me. Se vieni mi fa piacere, se porti con te Matilde è meglio, ma niente discorsi su papà e sulle preferenze. Inoltre ti vorrei ricordare che il tuo ex marito è morto. Alex, sei duro. Sei tu che hai deciso di farlo morire, allungandogli la vita secondo me. Questo è certo, morirà dopo di me. Tabù, mamma, non si parla neanche di questo! Della mia morte? Di tragedie, di morti incrociate, di dolori passati. Di cosa parliamo, del tempo, Alex? Se vuoi: qui è una bella giornata di pioggia, ma è estate e forse non durerà per giorni, comunque fa caldo e prendo lo stesso la bicicletta per andare in ufficio. Oggi partecipiamo tutti a una conferenza sui tempi della dentizione ominide come strumenti per capire le tappe dell'evoluzione. E da voi com'è? ...Sei ancora lì, mamma? Hai scritto il racconto? A che punto sei? Raccontami qualcosa di divertente, non sei mai stata un tipo lagnoso, questo almeno te lo devo riconoscere. Grazie, Alex. Sì, sono andata avanti col racconto. Lo sai perché scrivo questa storia, Alex? Perché tutta la vita hai cercato prove, ora ti va di inventare un po'. No, non è per questo. Quando ero più giovane, in uno dei miei viaggi a Laetoli, una sera ho avuto un'intuizione. Non ne ho mai parlato con nessuno. Un'intuizione su cosa? Sai che sempre più, negli studi recenti, si tende a dare importanza nello sviluppo degli ominidi alla relazione madre-figlio. Anche il linguaggio probabilmente viene da lì: la necessità per la madre di dare informazioni al cucciolo mentre lo nutre. Passare tempo nella relazione con lui, educarlo ai gesti, ai suoni, agli odori fa crescere le dimensioni del cervello, avvicina la parola. Vorrei farti notare che hai detto relazione, mamma, comunque dove vuoi arrivare? Alla mia intuizione di quando ero più giovane, alla ragione per cui ho deciso di scrivere un racconto ambientato a Laetoli tre milioni di anni fa. Passavo le giornate china sulle impronte dei due che avevano camminato affiancati, erano imperfette, si intuiva lo spessore della pelle, l'incertezza del passo, quelle piccole erano più esitanti, si erano anche fermate a un certo punto, come se l'ominide avesse avuto un ripensamento, si fosse girata a guardare qualcosa, forse il posto che stavano lasciando o il gruppo. Le

143

altre più grandi e decise andavano dritte senza esitazioni, aprivano la strada. Per me che ci lavoravo ogni giorno, quei due erano una coppia, lei camminava col piccolo sul fianco, seguiva lui, fuggivano insieme dall'eruzione del vulcano. Quella notte non riuscivo a dormire, come questa notte. Avevo parlato con tuo padre, gli avevo detto che sarei rimasta ancora una decina di giorni. Era fuori di sé, mi diceva che stavo rovinando lui, voi... Tabù, tabù, mamma! Ascolta, non voglio parlare del passato, non il nostro almeno. Quella notte, dopo la telefonata mi sentivo angosciata, in colpa, eppure non potevo tornare prima di aver finito il lavoro, era più forte di me. E all'improvviso ho pensato che lei, quella con le impronte più piccole e il cucciolo al fianco, aveva sentito che doveva andare dietro all'altro, lo aveva scelto forse perché era il meno aggressivo e non avrebbe ucciso il cucciolo, o il più intelligente, probabilmente non era neanche il padre. Aveva bisogno di lui per fare crescere il piccolo nell'ambiente semidesertico, difficile, che si sarebbe creato dopo l'eruzione, non poteva più lasciarlo solo e indifeso per andare a cercare il cibo, doveva dipendere dal padre che si era scelto per far vivere se stessa e il bambino, cedergli il comando. È stata una decisione fondamentale, Alex, per tutti noi, capisci? Sì e no. Ascolta: se lei non avesse sentito che doveva rinunciare alla libertà, che non poteva fare tutto da sola, che solo sottomettendosi avrebbe salvato il piccolo, né io né te saremmo qui a discutere al telefono. Non era un ragionamento, era più forte di lei, qualcosa che le spingeva dentro in quel momento e che ha salvato la nostra specie. Immagina se non lo avesse fatto: erano bipedi ormai, comunque pochi gli alberi dove arrampicarsi e nascondersi, il cibo sempre più raro e difficile da trovare, era essenziale suscitare in lui il senso della protezione, sedurlo, fargli sentire che lei gli apparteneva, che dovevano camminare affiancati, lei un passo dietro a lui, per sopravvivere. Che ne dici? Che era una buona divisione del lavoro. Sapevo che ti sarebbe piaciuta. E poi mi attira molto questa piccola ominide che si consegna, mi ricorda Jacqueline. Jacqueline? La tua nuova ragazza? Sì, è arrendevole e si dedica volentieri, vende il pane. Molto interessante. Molto, mamma, tra poco arriva e mi porta i croissant caldi, fa un giro lungo per portarmeli. Sposatela, Alex, sarà una brava moglie, lo sento. Ciao, mamma, buona giornata. Ciao, Alex, ti voglio bene.

Non gli avevo detto nulla della malattia, né a lui né a Matilde. Nella mia famiglia d'origine sono tutti morti, così non ho nessuno con cui parlare del mio futuro. Prima di telefonare a Milo ho passato giorni a tormentarmi, avrei voluto averti qui e condividere la solitudine e i pensieri, ma giustamente tu svolazzavi da uno all'altro dei personaggi di questa storia. Li ho fatti soffrire, ora si devono sfogare tra loro, contro di me, raccontare dal loro punto di vista. È giusto. Spesso ho rimorsi e mi viene da piangere all'improvviso, ora che so di essere malata. Ricordi mi passano davanti agli occhi. Ho tirato fuori dal cassetto del comò la scatola con le fotografie dei bambini. Forse non avrei dovuto. Non ce ne sono più di me e Franco, le ho buttate via, una notte che ero impazzita di dolore e di rabbia. Mi rotolavo nel letto, avrei voluto morire, odiavo i bambini che dormivano tranquilli nelle loro stanze. Dovevo vivere per loro, senza di lui. Non credere che non sappia di avere molte colpe con Franco. Le vedo una dietro l'altra: momenti di pace spezzati dalla mia impazienza, paura che si innamorasse di un'altra perché io ero sempre fuori, desiderio di partire più potente dell'affetto per lui, per loro. Chi sono io? Cosa voglio? Negli ultimi anni mi sono abituata alla solitudine, nel silenzio ho ritrovato una forma di pace e di dolcezza. Con la fantasia mi sono data altre vite: ho riportato Franco nel mio letto, i bambini nelle loro stanze, ognuno al suo posto. Ho immaginato la nostra vita con loro cresciuti, ragazzi, poi uomo e donna. Nipotini, feste, noi sempre insieme. La carne dei nostri corpi cede, non ci guardiamo come prima, ma basta poco per eccitarci: toccare la cicatrice slabbrata della sua appendicite e lui il capezzolo destro che i bambini tiravano e mordicchiavano più dell'altro. Noi che ci conosciamo da tutta la vita e siamo nati per stare insieme, ci vediamo diversi da come ci vedono gli altri, da come il tempo ci ha trasformato. Basta un dettaglio per suscitare l'altro a tutte le età. Sua madre mi ha mostrato le sue fotografie da bambino privilegiato e un po' triste. Mia madre, nella nostra casetta di Prato, gli ha regalato l'unica mia nell'abito bianco della prima comunione.

"Avrei voluto che tu la sposassi così, ma va bene come decidete voi," gli aveva sussurrato, perché lo temeva.

Solo a te che mi ascolti ho il coraggio di confessare che mi sembrava di conoscere più lui da bambino che i miei figli. Loro dipendevano da me, erano così vicini che la loro immagine si sfocava, spesso si confondeva con la mia. Anche ora non so chi siano veramente.

Dalla scatola ho tirato fuori le loro fotografie, le ho messe in fila seguendo le età. Mi sono chiesta lucidamente come ho potuto lasciarli, perché il richiamo della stanza accanto al museo, a Laetoli, del letto di ferro, dell'odore della terra, dello spazio dei miei pensieri liberi era stato più potente dell'amore per loro e per lui. Tra Franco e me la questione non era che non andavamo d'accordo o che ci eravamo innamorati di altri, eravamo sovrastati da una forza più grande di noi che ci allontanava. Come in un naufragio o in un terremoto la furia degli elementi disperde l'amore dei singoli, li allontana per sempre. Nessuno sa perché e dove sia finito l'altro, dove sono i bambini che tenevamo per mano, dove la nostra casa, gli oggetti comuni, perché sia successo proprio in quel momento a noi.

E ora mi sembra di passeggiare tra le macerie, raccolgo una scarpa, un giocattolo, un libro. Forse perché so di essere ammalata, vorrei sapere il senso di quello che è successo, trovare l'altra scarpa, riportare il giocattolo nella stanza dei figli, leggere l'unico libro rimasto che racconta la nostra storia. E invece ovviamente non si può tornare indietro, neanche ora che sono ammalata. Ora li vorresti accanto a te, e prima? Agli uomini qualche volta capita di essere stati lontani tutta la vita e di essere accolti lo stesso a casa quando si ammalano. A me non sarà possibile, anche se tutto sommato li ho cresciuti, ed è stato lui alla fine ad andarsene, inutile fantasticare, fa male, e poi non lo vorrei nemmeno. Ora non potrei rinunciare alla solitudine, sono un essere contraddittorio. Però Franco, proprio lui, mi sembra vivo accanto a me, ora più di prima. Non so perché, non ci parliamo da anni, so poco della moglie e del bambino. La malattia mi ha rimesso in contatto con lui, non riesco più a sentire la rabbia e anche il bambino, l'usurpatore, e sua madre, ora mi sembrano protagonisti della nostra storia, messi sul nostro cammino dalla stessa forza che ci ha divisi.

"Tu non volevi essere la mia donna, Sara, quando l'ho capito me ne sono andato."

Così ha detto Franco, e penso abbia ragione. L'unico errore è che non si trattava di una volontà, io credevo di volerlo sopra ogni cosa, ancora più che essere madre. Ti ho messo in cima a ogni mio pensiero, anche ora che sono malata, anche negli anni della separazione e del silenzio, quando ti sei risposato e quando ti è nato il figlio tardivo, ho sofferto sempre come se tra noi non fosse mai finita. Non è mai finita. Ti ho detto esattamente di me prima di sposarci. Nella superficialità che ogni tanto ti contraddistingue, e perché volevi avermi, hai detto sì a ogni cosa: partirai quando vorrai, figli ne faremo quando sarai convinta, non voglio che cambi di una virgola. Ma l'errore era in me, non in te, lo capisco ora che so di dover perdere la coscienza di me stessa. Non riuscivo a essere Sara Fiore né in Africa né con voi, non c'è un posto al mondo per lei, né una relazione in cui si senta intera. È come se tante Sara Fiore percorressero il mondo senza trovare pace, in cerca tutte di qualcosa che non esiste.

Ho pensato questo la notte prima di telefonare a Milo, e non ti ho più odiato, anzi, mi sei venuto incontro con l'aria sorridente di quando ci vedevamo la sera per un aperitivo, ancora prima di sposarci. Ero appena rientrata dall'Africa e tu cercavi di convincermi ad andare a vivere insieme, m'intrattenevi, mi facevi bere, mi divertivi, cercavi di sedurmi, un vecchio gioco sempre nuovo. Ora ti vedo così e ti amo, anche se non sei più mio, forse proprio per questo. Ce l'hai messa tutta e anche io, non è stata colpa nostra, siamo innocenti, come i due di Laetoli abbiamo camminato verso una destinazione a noi ignota in un paesaggio sconosciuto.

La mattina ho telefonato a Milo e l'ho invitato a cena, avevo bisogno di qualcuno con cui parlare ma soprattutto di un complice.

È arrivato alle otto e mezzo in punto, con una bottiglia di vino, una camicia bianca stirata male, bello e intimidito. Ha ispezionato la casa, guardato i libri, mentre riscaldavo cibi pessimi comprati in una rosticceria ancora aperta. Lo avevo avvertito al telefono che non so cucinare. Ho tolto velocemente il tuo posto a tavola e ci siamo seduti in cucina, gli ho chiesto:

"Ti sembra strano mangiare in cucina?".

"Perché?"

"Ho sempre odiato le sale da pranzo, stanze sprecate, mangiare in cucina è molto più allegro."

Gli ho tagliato una fetta di pizza rustica, una coscia di pollo, stavo continuando a riempirgli il piatto, mi ha fermato.

"Va bene così."

"Scusa se ti ho servito, forse preferivi fare da solo."

"No, anzi."

Gli ho lanciato uno sguardo: cosa pensava della mia chiamata, dell'invito a cena? Al telefono gli avevo detto che dalle prime analisi la mia situazione non sembrava grave, che forse ero svenuta per il caldo e la stanchezza.

"Come sta Rosmarina?"

"Bene, la seconda visita è andata meglio della prima: è rimasta sulle gambe del medico senza muoversi, faceva le fusa. Allora lui mi ha detto di sedermi accanto a loro e dopo un po' Rosmarina si è spostata, mi è venuta in braccio e ci è rimasta, come se la presenza del medico le avesse ridato fiducia anche in me."

Abbiamo cominciato a ingoiare la pizza e il pollo, buttando giù sorsate di vino.

"Buono il vino, scusa per il resto, l'unica rosticceria aperta che ho trovato. Ora che vai a casa, tua madre ti farà mangiare molto meglio. È una brava cuoca?"

Si era rabbuiato.

"Sì, dovrò andarci almeno un giorno, per ferragosto."

"Non ti va?"

"Ci saranno i miei fratelli con le mogli e i figli, cugini e cugine con le famiglie e io con Rosmarina. Sono andato via di casa a diciotto anni per non sentirmi un emarginato."

"Un emarginato, perché?"

Ha scosso la testa prima di parlare, come se fosse necessaria una lunga spiegazione. Non ho insistito, quello è stato il primo momento in cui ho sentito che con lui mi veniva facile parlare, domandare, stare zitta. Ho pensato all'imbarazzo delle telefonate con Alex, alle mie domande inopportune, al suo nervosismo. Dopo un po' lui ha ripreso l'argomento.

"Vuoi sapere perché mi sento un emarginato?"

"Sì, certo."

Ha bevuto una lunga sorsata di vino.

"A diciotto anni ho avuto una relazione con un professore."

Ha aspettato per vedere l'effetto che mi faceva. Lo guardavo negli occhi senza imbarazzo, ha continuato.

"Andavo da lui per le ripetizioni di matematica, era giovane, spiegava bene. Non mi ha sedotto, è successo così, in modo naturale. La donna delle pulizie ci ha visto mentre ci baciavamo e ha scritto a mia madre. Non l'ho più rivisto. Per mia madre, per tutta la famiglia, io sono diventato il figlio corrotto, da curare."

Volevo che continuasse, nessuna domanda mi sembrava opportuna.

"Da quel momento hanno cercato di capire cos'ero: un omosessuale o un ragazzo a cui sarebbero piaciute le donne ma era stato traviato? Quando vado a casa, nei loro occhi vedo sempre questa stessa domanda."

"Be', i genitori lo fanno spesso."

"Cosa?" mi ha chiesto serio.

"Cercano spiegazioni semplici."

Gli ho raccontato di Alex, della domanda del padre sulla sua sessualità, la sua risposta a lui, a me, e ne ho tirato le conclusioni.

"Tra genitori e figli si gioca a nascondino. Loro vogliono sapere, tu non vuoi dire, in realtà vorresti molto dire e loro in verità non vogliono sapere."

Mi ha guardato a lungo.

"Cosa significa?"

"Che vorresti dirgli che ti piacciono gli uomini ma ti nascondi perché hai paura della verità, e loro anche."

"La verità è che non mi piacciono solo gli uomini. Sono un essere strano, non rientro in nessuna categoria. Gli omosessuali non mi sopportano: per loro si fa una scelta e quella è. Una ragazza che amavo mi ha lasciato quando le ho detto che avevo avuto storie con uomini. Per questo sono un emarginato, e così ho deciso di astenermi da ogni pratica."

Mi è venuto da ridere e si è risentito.

"Mi prendi in giro?"

"Astenerti da ogni pratica, l'hai detto bene, ma la vedo difficile."

Si è versato del vino e lo ha bevuto in un sorso. Mi sono accorta di essermi dimenticata della malattia e della ragione per cui lo avevo chiamato. Ha ripreso a parlare in modo rabbioso, all'improvviso era molto diverso dal ragazzo bello e calmo della piscina.

"Ti sbagli, io sono più giovane di te..."

"Molto più giovane."

Si è infuriato.

"Sì, molto più giovane, potresti essere mia madre ecc. ecc... ma so cose che tu non sai. Se sei come sono io, hai una storia: 'Com'è carino il mio bambino, il più bello di tutti, il più intelligente, dammi un bacio, vieni nel lettone, ti porto la colazione a letto...'. Non sopporto le donne col profumo perché mi sembrano mia madre e i machi gay sono parodie della virilità. Mi interessano gli esseri umani, quando si fanno vedere senza paura. Sulla scala mobile della piscina, il modo in cui mi guardavi, mi è piaciuto subito."

Ti devo confessare che ho pensato alla porta di casa, se avevo dato un giro di chiave, se era il caso di correre, aprirla e scappare. Dove? La portiera è in vacanza, cercare rifugio dalla badante non mi sembrava sensato. Dovevo ripiegare sulla disinvoltura.

"Anche tu mi sei piaciuto subito."

Ha scosso la testa e ha sorriso.

"Non aver paura, non sono un depravato. Sono un emarginato, che è un'altra cosa, e ho sospeso ogni pratica, come ti ho detto. Mi è piaciuto come hai parlato di te, di tuo marito morto, che poi hai resuscitato, dei tuoi figli che non hai saputo crescere. Non ti offendi se ti dico una cosa?"

Avevo superato la paura della violenza, ma mi sentivo ancora minacciata dal modo intimo in cui parlava di me.

"Non essere troppo disinvolto per favore, sono timida, malgrado le apparenze, e ho sospeso le pratiche anche io da un po', ma non per scelta come te. Comunque dimmela."

Si è messo a ridere.

"Tu sei un'emarginata come me. Per questo ci siamo guardati in quel modo sulla scala mobile, per questo hai attaccato discorso al bar e mi hai invitato a cena."

Non mi ero mai sentita un'emarginata, magari una persona impaziente, nervosa, impulsiva.

"Non credo di essere emarginata, forse pensi questo perché ci siamo incontrati ad agosto, nella città deserta, perché mi sono sentita male e hai creduto che fossi sola come un cane. Perché abbiamo mangiato cibo scadente. Ma ho amici, ho avuto relazioni con uomini, quando ancora praticavo, due figli, un bellissimo lavoro."

"Ti dispiace se fumo una sigaretta?"

Mi sono alzata.

"No, ma andiamo di là, non ti obbligherò a mangiare ancora."

Si è seduto sul divano accanto alla scrivania, gli ho teso un posacenere. Mi tremava la mano, l'ho nascosta subito. L'idea della malattia mi ha rattristato, mi sono seduta sulla poltrona accanto alla finestra. Lui fumava in silenzio. Ho pensato che forse aveva ragione, che da tempo non avevo una relazione con nessuno, che parlavo da sola nella mia casa o con te quando ci sei. Matilde mi amava ma aveva sempre voluto un'altra madre al mio posto e Alex non mi sopportava. Non ci crederai ma all'improvviso mi sono sentita un'emarginata, come diceva lui, una persona che nessuno voleva tra i piedi. Quasi mi veniva da piangere, ma lui di colpo si è messo a ridere.

"Come ti è venuto in mente di dirmi che tuo marito era morto?"

"Lo dico sempre a tutti."

"È veramente morto per te?"

Non mi andava di parlarne, ma dovevo farmi aiutare, avevo bisogno di lui.

"Da quando mi sono svegliata in ospedale penso a lui in modo diverso, ma per tutti questi anni è stato così, l'uomo che avevo sposato e amato era morto."

Ha spento la sigaretta e mi ha guardato.

"Perché vi siete lasciati?"

Ho riso, bella domanda.

"È stato lui che se n'è andato, voleva un altro tipo di donna. Ma io sono una persona difficile con cui vivere, lo riconosco."

"Così non lo sai perché?"

Mi sono innervosita.

"Qualcuno lo sa perché ci si lascia?"

"Non ti arrabbiare, dai Sara!"

Lo aveva detto come un ragazzo, un figlio, Alex.

"Non mi arrabbio... È passato tanto tempo, chi se lo ricorda! Ho avuto altre storie. Lui ha una moglie e un figlio, è andata così. Basta."

Si è alzato in piedi.

"Allora usciamo subito da questa casa."

Mi ha preso per mano, ho provato a resistere. Mi ha detto che dovevamo chiudere la cena schifosa che gli avevo offerto con un buon gelato. Mi sono ritrovata per strada, con un casco in testa, dietro a lui sulla moto. E poi davanti a un chiosco, in centro, con altri disperati in cerca di fresco. Lui ha preso una granita, io un gelato, ci siamo messi a camminare sul lungofiume.

"Scendiamo giù all'isola."

Comandava lui, ero contenta, potevo pensare a me, a quello che dovevo fare. Ci siamo seduti sulla banchina dell'isola in mezzo a coppie che si baciavano.

"Me lo fai leggere il racconto sugli ominidi che si incontrano tre milioni di anni fa?"

"Se lo finisco, certo."

Mi ha guardato.

"Certo che lo finisci."

"Ieri l'ho raccontato ad Alex al telefono. Non riuscivamo a parlare, come al solito. Si infuria con me perché l'ho lasciato quando era bambino, tante cose si sono stratificate. Così ci capiamo meglio se parliamo del nostro lavoro comune. Non avrei dovuto avere figli."

"Forse loro non erano i figli giusti per te."

Mangiava la granita, non mi guardava.

"Per chi lo tieni il secondo casco nella moto, vai cercando in giro accompagnatori?"

Non so perché mi era uscita quella domanda aggressiva, mi sentivo impotente e rabbiosa, e lui aveva preso il tono sicuro e distaccato di Alex.

"Per qualcuno che ha bisogno di un passaggio, ai miei nipoti piace molto venire in moto con me."

La risposta semplice, disarmata, mi ha fatto crollare. Mi sono messa a piangere, lui non mi ha chiesto perché, mi ha abbracciato, ho appoggiato la testa sulla sua spalla, siamo rimasti a sedere senza parlare, come una delle coppiette intorno a noi. Poi mi sono vergognata e ho cercato un fazzoletto nella borsa, volevo riportare la situazione alla normalità.

"Qual è stato il tuo vero amore, il professore di matematica?"

"Oltre Rosmarina dici? Non credo di averlo incontrato. Forse la ragazza che mi ha lasciato quando le ho confessato che ero stato anche con degli uomini, lei mi piaceva molto."

"Perché lo hai fatto? Non si deve confessare sempre tutto."

"Dovevo dirle che avevo un difetto di fabbrica, se se ne fosse accorta si sarebbe sentita tradita."

Mi sono voltata verso di lui, non ci potevo credere.

"Un difetto di fabbrica? Franco mi diceva la stessa cosa, quando ci siamo conosciuti..."

Ha sorriso, si è acceso una sigaretta.

"Te l'avevo detto, lo sguardo sulla scala mobile..."

"Non cominciare a dire cazzate, sono coincidenze, ne succedono ogni giorno."

Ha annuito.

"Sì, ogni giorno. Il nostro incontro in piscina e quando sei svenuta e ho visto il tuo corpo scendere giù sul fondo nell'acqua e ti ho tirato su..."

"Mi devi aiutare, Milo."

L'avevo detto senza rendermene conto, come quella frase fosse stata sempre lì, pronta a uscire.

"Certo, Sara, ci siamo incontrati per questo."

"È una cosa seria, Milo, molto."

"Sì, lo è, infatti, l'ho capito subito."

Mi è venuta voglia di dargli uno schiaffo, invece gli ho detto a bassa voce.

"Mi hanno diagnosticato il morbo di Parkinson."

Mi ha preso la mano col fazzoletto.

"Sì, i medici pensavano una cosa del genere, ma non erano sicuri."

Lo sapeva ed era venuto comunque alla cena, io forse sarei scappata. Ho ritirato la mano col fazzoletto dalla sua.

"Ti hanno dato la dopamina, no?"

"Sì, la dopamina e altre medicine. Ma sai com'è, la cosa va avanti comunque."

"Lentamente, oggi si cura."

"Lasciami parlare. Non voglio morire qui, essere accudita da mia figlia. Matilde non riesce ad avere un bambino e si ritrova con una madre inferma, non voglio assolutamente. Alex è fuggito, in Canada fa la sua vita. Io li ho abituati a cavarsela anche senza di me quando erano bambini, devo andarmene da qualche altra parte prima di dipendere da loro."

Due dietro di noi si sono alzati, forse era tardi. Non so quanto sia durato il silenzio, l'acqua rimasta sul fondo del fiume colava giù, la pietra dove eravamo seduti era ancora calda per il sole della giornata, pensavo: forse ora si spaventa, mi porta a casa e sparisce. Ma sapeva che ero malata ed è venuto lo stesso. Non è timido, mi ha preso la mano e mi ha tenuto abbracciata quando piangevo. Che tipo è questo ragazzo? Non so nulla di lui.

E poi è uscita la sua voce, di nuovo completamente diversa, dolce e sicura.

"Ora ti porto a casa, vai a dormire. Domani ci vediamo dopo il lavoro, anzi, questa volta vieni a cena da me, ti faccio mangiare bene e poi forse andiamo anche al cinema."

Mi è tornata l'idea che fosse pazzo, aveva detto di sé che era un emarginato e forse era la verità.

"Non ti preoccupare, non ho cambiato discorso, l'ho solo allungato un po'. Sei malata e vuoi andartene, l'ho capito, e hai bisogno di qualcuno che ti aiuti. Hai vissuto la vita libera, facendo quello che volevi, ora non vuoi dare il carico della tua infermità futura ai tuoi figli. Non sono sicuro sia una buona idea, ma chi sono io per giudicare?"

Si è alzato, seduta a terra lo guardavo dal basso. Mi ha teso la mano, mi ha tirato su.

"Tu mi hai adocchiato sulla scala mobile, Sara, ma io ti avevo visto anche prima, quando entravi in vasca col tuo costume severo e nemmeno ti accorgevi che esistevo o uscivi per strada camminando dritta senza guardare nessuno. Credi di farcela da sola a fare tutto, ma ora hai bisogno di me, devi avere pazienza."

Mi ha riaccompagnato a casa, ci siamo tolti il casco, mi ha dato un bacio sulla guancia e ha aspettato che entrassi. Mentre attraversavo il cortile ho sentito il rombo della moto che si allontanava. Ora sono qui in cucina, davanti ai piatti della cena, al cadavere del pollo, e non ho capito niente di quello che è successo. La mia malattia mi sembra un pensiero lontano che prima o poi dovrò affrontare. Non so chi sia questo ragazzo né cosa voglia da me, tu lo hai capito?

In Africa, una volta lavoravo con due tanzaniani trentenni, io ne avevo quasi dieci di più. Mi aiutavano a portare gli strumenti e i sacchi con le pietre raccolte. Le donne in Tanzania sono considerate meno di nulla, insieme ai bambini appartengono alla classe sociale più bassa. Sapevamo che gli uomini che ci aiutavano negli scavi la pensavano nello stesso modo, anche se lavorando con noi erano molto gentili e rispettosi. Ma tutti ci consigliavano di tenere le distanze. Mi hanno sempre dato fastidio le regole messe come steccati tra le persone, così avevo fatto amicizia con i due uomini. Parlavano un inglese approssimativo ma ci capivamo, mangiavamo insieme, raccontavo loro delle nostre ricerche, di ossa e mandibole. Uno dei due era più interessato dell'altro. All'andata e al ritorno mi camminava vicino e mi faceva domande. Una notte era entrato nella mia stanza, portava una camicia lunga sui pantaloni corti di tela, aveva un'erezione. Mi guardava sulla porta, sorrideva senza parlare, era certo che l'intimità che avevamo sul lavoro volesse dire anche scoparmi se ne aveva voglia. La marcia indietro fu complicata, gli feci capire che doveva andarsene e nei giorni seguenti chiesi una sostituzione. Ogni tanto nel campo mi passava accanto con l'aria sfrontata, ma non entrò mai più nella stanza perché aveva paura di perdere il lavoro. Nella vita avevo considerato alla pari gli uomini che incontravo e non mi ero mai sentita in pericolo. Così era successo anche con Milo, quando avevo attaccato discorso al bar o quando lo avevo "adocchiato", come diceva lui, sulla scala mobile. Solo che ora l'idea della malattia mi faceva sentire esposta e fragile. Bastava non rispondere più al telefono, anche l'idea di farmi aiutare da lui andava accantonata. Cosa volevo in realtà? Andarmene, lasciare tutto, non sarebbe stato possibile, non avrei potuto farlo a Matilde in ogni caso. La nostra vita non prevede scomparse.

Sono disperata in questo momento, puoi sentirlo? Forse dovrei finirla qui, invece metto i piatti nel lavello, prendo le medicine, mi spoglio. Fisso il mio corpo ancora giovane nello specchio e penso a Franco, come tutte le sere da quando so di essere malata. E poi all'improvviso mi pare che accanto allo specchio ci sia mia madre che mi guarda, come quando ero bambina e mi aveva appena comprato un vestito nuovo. "Come ti sta bene, Sara, ti piace?"

Mi infilo la camicia da notte, Franco e mia madre sono le persone che ho amato di più nella vita. E i figli? Non ho mai pensato che la loro vita mi appartenesse, e neanche la mia a loro. Vanno per il mondo con la nostra presenza dentro, quella di Franco e la mia, non bisogna trattenerli. Ce la farò a vivere senza di loro? Senza vederli, toccarli o scambiare parole. Ce l'ho fatta con Franco, sarò capace anche con loro. Tiro le lenzuola fino al mento, cerco calore, mi abbraccio da sola. Buonanotte, anche a te che mi ascolti in questi complicati giorni della mia vita.

Franco e Sara

Ho sonno, guido e mi si chiudono gli occhi. Questa notte non ho più dormito dopo l'incubo che mi ha svegliato alle quattro. Giovanni, il mio bambino, correva sulla spiaggia da solo, entrava in mare urlando mamma, nessuno rispondeva né lo salvava. Lo vedevo annegare impotente. Nella notte, sono andato nello studio senza svegliare Fulvia.

La sera, in camera da letto, avevamo discusso ancora, come Matilde e Alfredo. Li sentivo parlare fitto, a bassa voce, nella stanza accanto. Fulvia si era infilata nel letto, mi guardava.

"Perché mi fissi così?"

"Tanti motivi, eppure uno più di ogni altro: mi hai sposato perché pensavi fossi una donna più semplice di Sara, vero? Una che ti dava meno problemi."

Era la verità in un certo senso, ma sentirla così, nuda e cruda, toglieva ogni convinzione al nostro incontro.

"Con Sara era finita quando ci siamo incontrati, non l'ho lasciata per te, non vi ho mai messo a confronto."

"Non credo di essere stata io a impedirti di parlarmi di lei o di farlo davanti ai tuoi figli. Ero gelosa della vostra vita in comune proprio perché nessuno ne parlava, sentivo che era stata una grande passione, difficile ma fondamentale per te e per lei. Avevo paura di sollevare il velo, è vero. Ma sei stato tu a cancellarla da ogni discorso, e lei col suo atteggiamento

159

ti ha aiutato, ha ragione Matilde. Ti voglio dire una cosa, Franco: da quando è nato Giovanni non ho più avuto paura di Sara. Ti ha mandato le tue fotografie tagliate perché aveva capito di averti perso per sempre. Da quel momento mi ha fatto pena, malgrado fosse più forte di me in molte cose, era sola. Ma per te non è lo stesso, l'ho capito questa sera."

Esitavo se infilarmi nel letto, quanto sarebbe durata? Forse era meglio una bella litigata subito, così avrei avuto una ragione per prendere il cuscino e andarmene a dormire sul divano dello studio.

"Scrivi di libri, di personaggi, ma di te non capisci niente."

Eccola lì, la conclusione pronta. Mi è sembrato all'improvviso che ci fosse Sara nel letto al posto suo. Una volta, i primi tempi che abitavamo insieme, l'avevo chiamata col suo nome. Un dramma che era riemerso di tanto in tanto nel corso degli anni. Poi si era inabissato a poco a poco, come tutto quello che riguardava la mia prima famiglia. Così le avevo risposto articolando bene il suo nome.

"Fulvia, ascolta, se anche fosse? Se incontrandoti avessi pensato che sarebbe stata più semplice la vita con te? Che male ci sarebbe?"

Si era messa a ridere.

"La fai facile, Franco. Non vedi com'è stato per Matilde, per Alex? Non ti è mai venuto in mente che loro avessero bisogno di una spiegazione, anche per la loro vita di adulti, soprattutto per questo. Hanno vissuto un matrimonio tempestoso, poi tu hai deciso di andartene, ma la loro madre non l'ha mai accettato. L'hanno vista soffrire, parlare male di te, rimpiangerti. Mai nessuno che abbia spiegato loro qualcosa."

"E che c'era da spiegare? Piangeva, soffriva! E quando se ne andava e ci lasciava soli per mesi? Lo sa lei come stavo io? Come facevamo noi tre senza di lei?"

Mi guardava sorridendo.

"Ti consolavi presto quando non c'era, me lo hai raccontato tu."

"Certo, cosa dovevo fare? Lei si è messa con Giorgio subito dopo che me ne sono andato di casa, e poi tutti gli altri, quelli con cui viaggiava... Si è consolata anche lei... ma la sera davanti ai figli piangeva. Lo sai tu com'era la nostra vita prima che me ne andassi di casa?"

"No, non lo so, non me lo hai mai raccontato, sorvolavi sempre dicendo 'lasciamo perdere, meglio non parlarne'."

"È molto semplice e ti annuncio che succede così nei matrimoni: tutto quello che mi era piaciuto di lei mi sembrava insopportabile. Chi se ne frega di andare a fondo di tutto, di essere coerenti, di dire 'te l'avevo detto'... Sara era un'egoista e basta, e io non ne potevo più. Questa è la storia, ridotta al minimo."

"Sì, al minimo."

Mi ero seduto sul letto, avevo pensato alla lettera di Sara: *...sono rimasta sempre lì e il nostro fallimento è stato il mio e quello di tutti questi anni senza di te.* Avevo l'impressione che loro due si fossero parlate dietro le mie spalle.

"Che cosa vuoi dire?"

"In fondo l'unico argomento chiaro contro di lei è che partiva e vi lasciava soli. Era il suo lavoro, cos'altro avrebbe potuto fare?"

Mi stava salendo una rabbia incontrollabile: la mia seconda moglie faceva l'avvocato della prima.

"La stai difendendo? E tu saresti capace di lasciare Giovanni?"

"No, ma se dovessi farlo, tu lasceresti me?"

Mi ero alzato in piedi, passeggiavo per la stanza. Meglio far precipitare le cose e andarmene a dormire nello studio, altrimenti avrei passato la notte in bianco e l'indomani dovevo partire di nuovo per la città.

"Cosa vuol dire? Certo che non ti lascerei! Lei non voleva stare con me, Fulvia, tutto veniva prima di me e dei bambini!"

"E per te?"

"Per me no, ma lei non mi è mai venuta incontro, non cedeva su niente, non ho mai amato nessuna donna come Sara, ma non ne potevo più."

C'era stato un silenzio, mi ero fermato in mezzo alla stanza e l'avevo guardata.

"Prima di incontrarti, era così."

Mi ero seduto accanto a lei, fissava le sue mani sul lenzuolo, giocava con la fede.

"Conti aperti, come diceva Matilde."

Le avevo preso una mano.

"Perché dici così, Fulvia?"

"Perché è vero, ma non mi riguarda. Io ti amo Franco, abbiamo fatto un figlio, abbiamo un progetto insieme. Io almeno ce l'ho e non mi faccio sviare. Vai a Roma domani, pranza col direttore, noi ti aspettiamo qui."

E poi avevo sognato Giovanni che affogava senza madre, mi ero alzato, ero andato nello studio. Avevo riletto la lettera e mi ero fermato su queste parole: *...Lasciami andare, non parlare con nessuno, solo con chi ti telefona.*

La mattina mi aveva chiamato Giorgio raccontandomi di un'altra Sara e dell'idea che si era fatto che la nostra potesse essere stata male. Avevo deciso di partire presto e di tornare nel suo appartamento, in attesa dell'incontro con l'uomo che mi aveva chiamato. Il suo telefono era sempre staccato. Ero uscito di casa prima che Matilde si svegliasse, avrebbe potuto chiedermi di venire con me in città per andare dalla madre, erano giorni che non riusciva a parlarle.

Sulla porta Fulvia mi aveva salutato con Giovanni in braccio, un addio abbastanza teatrale. Ero sicuro che sapesse che non avevo nessun pranzo col direttore. Da chi credeva che andassi? Forse all'appuntamento con un'altra donna.

Mi tengo sveglio con la radio accesa, annuncia la rottura del tempo, il rientro dalle vacanze previsto alla fine della settimana. Il cielo è nero, ha cominciato a piovere. Mi sento addosso la precarietà degli ultimi anni della vita con Sara, la lettera, la telefonata, le discussioni la sera prima, sono tornati i tempi lontani del disordine e dell'insicurezza. Attacchi di tachicardia, angoscia di tornare a casa, forse era andata via lei?, e poi vedevo l'auto posteggiata sotto casa, una vampata di felicità e di nuovo la paura delle discussioni e anche il desiderio che avvenissero, purché restasse lì con me. Alla fine avevo deciso di andarmene per paura che se ne andasse lei. Se avessi dovuto spiegarlo ai figli avrei detto:

"Vostra madre e io ricominciavamo sempre tutto da capo, niente era dato per assodato una volta per tutte. Ogni gesto, parola, azione venivano soppesati da me, da lei, come ci fossimo conosciuti un'ora prima. Nessuno cedeva all'altro, sorvolava, lasciava perdere. Avevamo un conto aperto sempre, non solo ora come crede Fulvia."

Aprivo la porta e Sara mi veniva incontro subito, mi abbracciava e mi baciava sulla bocca. Si era tolta le scarpe all'ingresso, la casa era sempre in un disordine impossibile da descrivere ma mi ero abituato, non lo vedevo più. Ci mettevamo in cucina a chiacchierare, arrivavano i bambini, mi venivano in braccio: la nostra vita, perfetta, era a portata di mano. Poi tutto cambiava all'improvviso, non sempre per colpa sua, ero io qualche volta a provocare la crisi, le chiedevo del lavoro, di quando sarebbe partita, perché non aveva comprato nulla da mangiare, perché tutto era sempre in disordine. Dove era stata e perché i bambini a quell'ora dovevano ancora fare i compiti. Lei si irrigidiva, rispondeva male, sbatteva la porta o mi interrogava a sua volta. Alex e Matilde si chiudevano nelle loro stanze, ci evitavano. Mi domandavo perché avessi provocato la crisi o perché l'avesse fatto lei. Non c'era una vera risposta, solo che avevamo paura l'uno dell'altra, ci leggevamo nei pensieri e l'umore poteva saltare come un tappo, senza ragione. Ora penso che non riuscivo a sentirla mai completamente mia. Sara mi faceva vivere nell'incertezza, persino nelle scelte di ogni giorno. Odiava la ripetitività, cambiava i programmi quando diventavano rituali familiari, si innervosiva se non sentiva che eravamo liberi di rendere conto solo a noi stessi. Metteva noi due sopra ogni cosa, anche sopra i figli. Mi urlava che questo avrebbe dovuto farmi felice. E invece mi procurava un'angoscia profonda l'idea che neanche Alex e Matilde potessero fermarla, che fossi solo io l'arbitro della sua vita, ma senza regole certe. L'intesa con mia madre – lei andava a trovarla senza dirmelo –, i loro discorsi, mi innervosivano. Come non sopportavo il suo rapporto con Giovanna: a darmi tensione non era l'esclusione dai discorsi tra donne ma il potere che Sara esercitava su mia madre, su Giovanna, sui nostri amici. Erano attratti dal fantasma della libertà che lei incarnava per tutti. Mi ritenevano fortunato perché davanti ai miei piedi aveva deposto lo scettro. Non sapevano che non era così. Non se ne rendeva conto neanche lei, questa verità la sapevo solo io: Sara era attratta dalla sua propria vita, noi tutti l'accompagnavamo nel percorso creativo e solitario che si era scelta. Questa Sara io l'avevo voluta e amata, poi odiata e lasciata.

Come spiegarlo ai figli? Due acrobati, camminavamo sul filo uno di fronte all'altra, sorridenti, ci andavamo incontro con le braccia spalancate, nessuno dei due voleva arretrare, anche se era chiaro che alla fine avremmo perso l'equilibrio tutti e due. Quando era cominciato? Era sempre stato così?

Mio padre, quando l'aveva conosciuta, mi aveva sconsigliato di sposarla. Per me era chiaro che l'aveva detto per snobismo, perché non era del nostro ambiente, anche se la stimava intellettualmente e la trovava una bella donna. Non gli avevo mai chiesto perché secondo lui non avrei dovuto sposarla. Il matrimonio dei miei era stato un fallimento, si erano traditi per noia, mai separati per paura di perdere soldi. Quando gli comunicai che me n'ero andato di casa, mio padre fece un'espressione come se se lo aspettasse. Avrei dovuto non domandargli niente neanche quella volta, ma mi sentivo in colpa per aver lasciato i bambini e avevo voglia di litigare. Mi aveva risposto con poche parole.

"Una donna troppo difficile per te."

Non avevo dormito da loro nemmeno una notte, mai più aperto l'argomento né con lui né con mia madre. Ma neanche con i figli, con Fulvia, con Giorgio, con nessuno. Come se la relazione tra Sara e me appartenesse a un mondo scomparso dopo la separazione, che non trovava nessun riscontro nella realtà nuova in cui ero entrato lasciandola. Per spiegarlo a me stesso mi venivano in mente tavoli operatori, laboratori chimici dove ricercatori mischiavano sostanze, analizzavano frammenti al microscopio in cerca di nuove verità. Il nostro matrimonio era stato un esperimento azzardato, questa era la mia conclusione. Andandomene di casa l'avevo interrotto. Troppo difficile, come diceva mio padre.

Piove a dirotto, mi avvicino alla città, ancora poca gente per le strade. Guido verso il quartiere di Sara, verso la sua casa in cui sono entrato ieri per la prima volta. Ne ha cambiate varie. Nell'appartamento da cui ero andato via mi ammetteva a Natale, a Pasqua, per i compleanni dei bambini. Dopo l'incontro con Fulvia mi era stato vietato l'accesso alle nuove case. Poi, prima Alex e dopo Matilde se n'erano andati e lei era rimasta sola.

Ho pensato di essermi allontanata da te e invece oggi so che sono rimasta sempre lì...

Possibile che non avesse mai amato un altro uomo? Aveva avuto degli amanti, ma non aveva vissuto con nessuno, dopo un po' li lasciava. Anche con Giorgio era andata così. E io, quando avevo smesso di pensare a lei come alla mia donna?

Alla fine di uno dei primi Natali da separati, avevamo fatto l'amore e subito dopo lei mi aveva cacciato di casa. La domenica, quando andavo a prendere i bambini, mi apriva la porta e ci veniva da ridere. Le portavo un mazzo di fiori o delle paste per il pranzo, sembrava strano che fossi ospite nel nostro appartamento. Litigavamo, ora era sempre lei la causa, non poteva accettare che me ne fossi andato. Lei era rimasta lì, come aveva scritto nella lettera. Le dicevo che avrebbe dovuto cambiare casa, mi rispondeva che non erano affari miei. In quell'appartamento sarebbe stato difficile anche per me allontanarmi da lei. Invece, dopo il primo trasloco, Matilde mi raccontava che non aveva dormito per molte notti, che passeggiava per le stanze, all'alba la trovava addormentata sul divano.

Quando aveva cominciato a essermi indifferente?

Scendo dalla macchina, l'ho parcheggiata esattamente nello stesso posto del giorno prima. Tutto uguale, negozi ancora chiusi, solo che ora piove. Sulla soglia la portiera guarda l'acqua cadere, sono sicuro che commenterà la rottura del tempo, che altro hanno da fare i portieri?

"Buongiorno."

"Non ci sono più regole col tempo."

Mi riparo accanto a lei nell'androne. Il cortile si sta allagando, ma l'acqua si asciugherà subito al sole caldo della fine di agosto.

"Mia moglie si è fatta viva? L'ha vista?"

Mi squadra con un sorriso acido.

"Sua moglie? La signora è tornata a casa, certo."

"Quando?"

Dunque sta bene, non le è successo niente di grave, cerca solo come sempre di rovinarmi la vita.

"Ieri, dopo che lei è andato via. Poi questa mattina presto è uscita di nuovo con le valigie. È passato a prenderla un ragazzo, forse andavano in vacanza."

Ha concluso con lo sguardo furbo da comare di un romanzo di Dickens.

"Vuole di nuovo le chiavi?"

Attraverso il cortile allagato, mi riparo la testa con la giacca leggera. Davanti alla porta, con le chiavi in mano, ho paura di entrare. L'acqua delle scarpe sgocciola sullo zerbino con la scritta BENVENUTI! – forse un regalo di Matilde, non è lo stile di Sara. La chiave gira a fatica nella toppa, dovrei metterci un po' d'olio. Perché io?

La casa è in uno strano ordine: pulito e vuoto il tavolo della cucina, sul lavello due tazzine sciacquate. Nella sua camera il letto è senza lenzuola. Apro l'anta dell'armadio, le stampelle vuote dondolano leggermente sul bastone. Mi siedo sul letto.

Mi attraversa all'improvviso la sofferenza che deve aver provato lei quando me ne sono andato. Ma non soffro, perché dovrei?, siamo separati da tanto tempo, ho un'altra donna, un bambino. Mi figuro solo il dolore che le ho procurato molti anni fa. Mi stendo sul letto, chiudo gli occhi.

La prima volta ho riempito una sola valigia. Sara aveva portato i bambini al parco. Sceglievo i pantaloni, le giacche, i pullover che mi sarebbero stati utili per i primi tempi. I primi tempi senza di loro. Ma dopo ce ne sarebbero stati altri di tempi, anni, decenni, fino alla fine della vita. Non dovevo pensarci, altrimenti non avrei avuto il coraggio di andarmene e tutto sarebbe ricominciato. La valigia chiusa all'ingresso, li aspettavo seduto in salotto: avevamo deciso di parlare ai bambini, di spiegare loro cosa ci stava succedendo. Guardavo i quadri alle pareti, uno aveva il vetro rotto per una pallonata di Alex. Della collezione di cavallini bianchi di porcellana erano rimasti solo tre esemplari di cui uno azzoppato. Sul tavolo della stanza da pranzo c'erano i libri e gli appunti di Sara, in un angolo il suo archivio. Non aveva ancora uno studio, lo avrebbe conquistato con la mia partenza.

"Non importa, lavoro bene sul tavolo da pranzo, a noi piace mangiare in cucina, vero?"

Scorreva la pioggia nel cortile, batteva sulla persiana chiusa, nella mente, tra i ricordi. Mi pare di sentire la sua voce: "Non essere sentimentale, non ti assomiglia".

Resta lì sul letto mentre finisco di preparare le valigie, Franco. Sapevo che saresti tornato qui, ho lasciato le chiavi alla portiera per te. Non ci siamo mai inteneriti troppo sul nostro destino io e te. Ci è andata meglio che a molti altri. A te sicuramente, ora hai carne giovane accanto! Non ricominciare Sara, non sono più abituato al sarcasmo e alla durezza. E non ti mancano? No, per niente. Fulvia è dolce con te? Sì. Di che amore ti ama? Ci ho pensato tanto in questi anni. Di che amore? Cosa vuol dire? Ci sono tante specie di amore?, non credo. L'amore è amore e basta. Come sei elementare, Franco, non capisci niente. Grazie. Non sono dolce io, lo so, ho sbagliato ma ti ho detto la verità, spesso. "Perché papà va via?" Ti ricordi la domanda di Matilde, in salotto, quel giorno? Io le ho risposto: perché non mi ama più. Tu: perché non andiamo più d'accordo. Cosa vuol dire andare accordo, Franco? Quando mai siamo andati d'accordo? Ci vuole un po' di pace per vivere, Sara! Un po' di tranquillità, non ne senti mai il bisogno tu? No, se penso alla tranquillità mi viene incontro la bara, ma non sono fatta bene su questo, come sulla dolcezza, lo so. Voglio solo arrivare al punto. Io non voglio arrivare a nessun punto, Sara, stenditi accanto a me. Ecco, ferma, dammi la mano, chiudi gli occhi, prova a non pensare. Non siamo amici, vero Franco?, questo non lo sopporterei. No, siamo un marito e una moglie di tanto tempo fa. Va bene. Mio padre mi ha detto che eri una donna troppo difficile per me. Tuo padre era più intelligente di quello che pensavo, se ti ha detto così. Lo sottovalutavi, come me, vero? Ah no, questo no! Stai ferma, non ti alzare, dammi la mano. Puoi stare ferma due minuti senza arrabbiarti? Io ho sempre pensato che sei molto intelligente, Franco. Il modo in cui parli e scrivi di libri, non ti accontenti, senti subito l'auto-compiacimento dello scrittore, la ricerca dell'effetto. Vuoi l'intuizione di una verità parziale, sempre in movimento, mai soddisfatta di se stessa. Ti piacciono i libri che cercano. Ti ascoltavo mentre ne parlavi con gli amici, ti amavo e ti ammiravo. E poi all'improvviso mi ricordavo che parlavi di libri, di personaggi, non di me e te o di altri. Mi prendeva una rabbia, ero furente! Ieri sera Fulvia mi ha detto le stesse cose. Non irrigidire la mano, lasciala morbida nella mia, Sara. Come potevi tirare fuori tante sottigliezze dalle pagine di un libro, Franco, e non capire niente del mio nervosismo, del tuo, delle angosce dei nostri figli, di me e di te insieme? Poi un giorno ho avuto davanti a me la nostra storia, come l'avessi letta in un libro, una visione aerea e carnale insieme. Finché erano le nostre menti a incrociarsi, finché c'erano le parole stampate, le lettere, i capitoli, le virgole, i punti, le descrizioni, i dialoghi, le affermazioni, le domande, le storie, andava tutto bene, ci capivamo al volo, Franco. Ma noi ci amavamo col nostro corpo e lì le cose erano molto più complicate. Lì combattevamo, ora so cosa avrei dovuto fare, lo avrei anche fatto se non te ne fossi andato. Dovevo mettermi sulla schiena, come il nostro gattino quando lo accarezzavi, ferma, ferma... Sì, ferma, come quando dormivi, e mi veniva voglia di scoparti, di svegliarti piano, non dovevo perdere la tua incoscienza, le palpebre chiuse, le labbra semiaperte come le cosce, il seno allargato al centro, un capezzolo diverso dall'altro, pronta... Mi svegliavo con te dentro, e non sapevo come fossimo arrivati lì... Ma ti piaceva? Sì, ma subito dopo mi innervosiva. Una volta ti ho detto che mi ero masturbata dopo aver fatto l'amore. Sei diventato pazzo di rabbia, come ti avessi dato uno schiaffo. Mi hai raccontato che pensavi di tradirmi, che lo avevi fatto anche una volta, volevi pareggiare i conti...

Squilla il telefono, mi tiro su, ascolto. Non posso rispondere. Si mette in moto la segreteria, la voce di mia figlia riempie la casa.

Pronto, mamma... Uffa, dove sei? Ti cerco da giorni! Sono preoccupata, non lo capisci? Se sei andata da qualche parte a scrivere, avresti potuto dirmelo. Questa notte non ho dormito, ho parlato con Alex al telefono. Sai com'è fatto, lui tiene a distanza tutto, però ora è preoccupato, lo sento anche se non vuole farlo vedere. Mamma, dove sei? ...Scusa se piango, so che non dovrei, che non sono più una bambina, anche quando ero piccola me lo dicevi... Papà è uscito senza svegliarmi, non mi ha salutato. Vado via da qui mamma, non ci sto bene. Tutto quello che abbiamo passato torna quando sono con papà, Fulvia e Giovanni. Cerco di amare il bambino, dovrei, in fondo sono una donna adulta, sposata, è passato tanto tempo. Eppure qui mi sembra tutto accaduto da poco. Ieri a cena abbiamo discusso con Fulvia e con papà... parlo veloce perché ora finisce la registrazione. Se torni e senti la mia voce, chiamami mamma, subito... Volevo dirti che mi sono venute le mestruazioni anche questo mese... ciao, mamma.

Il silenzio nella casa, l'acqua fuori sta rallentando.

Così parlate, tu e tua figlia? Matilde non riesce ad avere un bambino e Alex una donna, Franco. Loro sono nati dai nostri corpi, Sara. Cosa vuoi dire? Che non eravamo soli nel letto a combattere. Vuoi dire che dovevamo restare insieme solo per loro, per i nostri figli? Non era possibile, non sarà possibile neanche per Matilde e Alex...

Mi alzo, cammino nel corridoio, un raggio di sole entra dalla finestra del soggiorno. Sulla scrivania vuota ci sono due lettere e una cartellina. Sulle buste: *Matilde*, *Alex*. Sulla cartellina: *Lucy*.

È rientrata, ha messo in ordine la casa, fatto le valigie e lasciato queste. Apro la cartellina: l'inizio che ho letto nel file del computer, mi siedo alla scrivania. Guardo l'ora.

Il calore fa fumare il lago, il vento solleva la cenere, piove argento. Steli bruciati nascondono l'orizzonte, dietro l'erba alta spuntano le cime nere dei due vulcani. Silenzio, niente respiri, sulla riva l'orma di un piede piccolo sul bordo dell'acqua.

Sara, Milo e Rosmarina

Franco è stato qui. L'ho visto entrare e uscire, parlare con la portiera appena tornata dalle vacanze. Ha preso la mia lettera, mi ha pulito gli occhiali. Solo lui li strofina fino a renderli chiari e trasparenti, senza una macchia. Li controllava sempre prima di rendermeli. Mi è mancato spesso come pulitore di lenti in questi anni, aggiustatore, lettore paziente di istruzioni.

Stasera, dopo aver messo tutto in ordine e preparato le valigie, mi sono sentita libera di provare un brivido per la presenza di Franco nella mia casa. Sono molto contenta di averlo tormentato di nuovo, aveva ragione Milo, che abbia pensato a me e che si sia anche preoccupato. Non si recidono legami come il nostro, lui ci ha provato e gli è andata male. Potrei essere giudicata cattiva, me lo hanno detto nella mia vita, ma non mi ci sento: affermo l'idea che niente si distrugge. Se penso a mia suocera malata, che si teneva accanto la mia fotografia con i bambini, sono sicura che le priorità della nostra vita non sconvolgono il nostro ordine interno. Dentro di noi le priorità sono altre, ai tempi degli ominidi venivano fuori senza difese, ora sono sepolte da secoli di cultura. Se anche mi fossi stancata di amarlo, non avrei potuto fare a meno di pensare a lui ogni volta che abbraccio Matilde e sento le scapole alate identiche alle sue, o quando mi fissa con i suoi stessi occhi dolenti.

All'ingresso, vicine, le due valigie per i primi tempi. In realtà ho deciso che mi basteranno per sempre. Lascerò qui tutte le mie cose, i libri, la biancheria, i vecchi vestiti, le stoviglie, i piatti. Alex e Matilde prenderanno quello che vogliono. Sarà doloroso per loro smontare la casa, ma è l'unico compito che gli lascio.

Che ne dici, Franco non è un bell'uomo? Io trovo di sì, non lo vedevo da molto tempo. La volta in cui ci siamo incrociati al parco non l'ho guardato attentamente. Mi sembra che abbia perso un po' di capelli e che si sia appesantito. Ma è sempre l'uomo più bello che ho incontrato. Giovanna invece lo trovava "comune".

"Classico figlio di borghesi ricchi, con l'aria fintamente meditativa."

Era molto critica con lui Giovanna, forse era gelosa di me, come molti pensavano. O quello era il ruolo che si era data nella nostra storia. Lei e Giorgio erano i nostri amici più cari, ma tra l'amicizia e l'amore ci sono molti punti di contatto.

La mia casa non mi sembra già più mia, dopo i giorni passati con Milo. Siamo stati a cena da lui e poi al mare, un posto che voleva farmi conoscere. Ti racconto, siediti, il caffè è pronto. Prendi due tazzine, ormai sai dove sono, lo zucchero, il latte nel frigorifero. Mi mancheranno i nostri dialoghi, a meno che tu non voglia seguirmi.

Il suo appartamento è piccolo, al piano terra, un quartiere nuovo. È ordinato e pulito. Mi aveva invitato a cena, la tavola era apparecchiata per due in un minuscolo giardino. Tovaglia bianca, due gerani in un vaso, aveva cucinato la parmigiana di melanzane come la fa sua madre e un polpettone con l'uovo al centro. Ho pensato che sarebbe stato la fortuna di una giovane donna in cerca di un marito collaborativo e gliel'ho detto. Mi ha risposto secco, versandomi il vino.

"Non mi sposerò. Mi piacerebbe avere dei bambini ma non mi sento abbastanza sessualmente definito per crescerli."

Avrei voluto aggiungere che non sappiamo esattamente quanto faccia bene ai figli una rigida definizione sessuale, ma non volevo riattaccasse con la sua teoria degli emarginati, così ho cambiato argomento.

"Dov'è Rosmarina?"

Siamo tornati in casa, mi ha indicato un angolo tra la porta della sua camera da letto e la parete. Una gatta bianca senza un occhio ci fissava diffidente. Non mi sono avvicinata, non volevo spaventarla. Milo l'ha presa in braccio. Rosmarina non mi sembrava affatto contenta.

"Perché ci sei tu ora, ma sta facendo molti progressi, questa mattina è anche salita sul mio letto."

"Tra qualche giorno ti sveglierai con la sua testa sul cuscino accanto alla tua, l'occhio che ti fissa, e sarà gelosa di tutti i gatti e i cani che manipoli allo studio."

Si è messo a ridere. Ci siamo seduti a tavola, mi ha servito un piatto troppo pieno.

"Questo è per te. A me la metà."

"Non ti fidi?"

"Sarà buonissimo, ma ho sempre mangiato poco..."

Abbiamo bevuto un po' di vino, mi ha sorriso.

"Ho un problema, Sara, e nessuno con cui parlarne."

Mi impaurivano le sue richieste misteriose.

"Posso?"

"Certo."

Ha appoggiato la forchetta sul piatto e abbassato lo sguardo.

"Allo studio lavora a metà tempo un ragazzo, si chiama Leonardo, fa l'inserviente, pulisce il tavolo delle visite, il pavimento. Siamo diventati amici, anche con la moglie: è una ragazza intelligente, carina, con molta energia. Lei ha un lavoro impegnativo, fa l'avvocato, guadagna il doppio di lui. Hanno un bambino di tre mesi ed è lui a occuparsene. Lo porta al nido, lo va a riprendere, lo fa giocare al parco, gli fa da mangiare. 'Ho voglia di stare con lui,' mi dice, 'e poi Vera ha un lavoro importante, le piace così tanto.' Lo dice senza invidia, è veramente felice di stare col figlio, di vederlo crescere. L'ho accompagnato nei suoi giri col bambino, sento che c'è una tensione tra noi... E poi una volta Vera mi ha invitato a cena, mi è piaciuta tanto anche lei... Ci frequentiamo da un po'... ora sono partiti al mare tutti e tre."

"Che hai fatto Milo? Hai combinato guai?"

Ha scosso la testa.

"No, non ancora, ma mi hanno invitato qualche giorno al mare e io ho paura di andarci, ho paura di guastare le cose... Ci devo andare o è meglio di no? Al bar della piscina, quando mi hai parlato, ho pensato subito: a questa donna potrei dire tutto di me."

"Con loro non lo hai fatto?"

Ha scosso di nuovo la testa.

"I miei amici sono sposati, hanno figli, molti sono anche già separati. Forse avrei bisogno di un'analisi come Rosmarina, forse sogno di essere il figlio di Leonardo e Vera. Mi piacciono tutti e due, fantastico sui loro corpi. Si sono legati a me, ma per loro non c'è confusione. Marito, moglie, bambino, amico."

"Non sarei così sicura di questo, Milo. Avranno dei momenti in cui penseranno a te in un modo non così definito. Più la donna forse, per gli uomini è difficile vivere nell'incertezza, non ci stanno bene. In questo tu sei da considerare un errore, ma come diciamo noi: il caso rende validi gli errori."

"Voi chi?"

"I paleoantropologi... Certo non siamo tanti, non costruiamo il senso comune, ma tu almeno ne hai incontrata una."

"È stato un destino."

"Un caso..."

Proprio in quell'istante Rosmarina mi è saltata in braccio, mi si è accucciata sulle ginocchia e ha iniziato a ronfare come un motorino. Milo è scoppiato a ridere, rideva così tanto che si è dovuto alzare, non riusciva a parlare, ci indicava sghignazzando. La gatta aveva chiuso l'unico occhio, premeva con le zampe sulle mie cosce. La mano mi tremava mentre l'avvicinavo per accarezzarla, al contatto col pelo si è fermata.

Ora vorrei saltare alle conclusioni, raccontarti subito perché alla fine ho deciso che dovevo andarmene, ma è giusto che tu conosca i nodi di questa storia. Una cosa però voglio dirtela, prima di darti il seguito: mi sono convinta che noi viviamo più di tutto nei nostri pensieri, nel dialogo con noi stessi che ci segue fino alla morte. Non siamo mai soli per fortuna. E lì, nei pensieri, la nostra vita torna continuamente. La vediamo passare e ripassare come in una moviola, ci fa male, cerchiamo i dettagli più nascosti, infinitesimali ricordi che ci erano sfuggiti. Ma penso anche che se Lucy e Hadza, col loro cucciolo, avessero avuto coscienza piena della loro situazione – vulcani in eruzione, morte, fame, belve – e di quello che lasciavano, non si sarebbero mai messi in cammino, non ci avrebbero raggiunti. Così, ora che so di essere malata Franco mi manca ancora più di prima, ma intravedo un disegno più grande di noi, che ci spinge in avanti e di cui noi non sappiamo molto, come la coppia di tre milioni di anni fa.

Finito, basta digressioni e saggezze. Non ti alzare per sciacquare la tazzina, ci penso io, ho tutta la notte per farlo. Milo viene a prendermi domani mattina.

Dopo la cena, siamo rimasti seduti fuori. La gatta non si è più mossa dalle mie ginocchia, ho dovuto farla scendere io prima di andarmene. Anche in piedi, continuava a strusciarsi su di me. Deve avermi preso per sua madre, come Milo. Una madre un po' incestuosa, dato che il ragazzo ha categorie sessuali confuse. Ha parlato di sé tutta la sera, dimenticandosi della mia situazione, della malattia, della decisione che dovevo prendere. Era il protagonista assoluto della serata. Ho pensato molto ad Alex mentre mi raccontava, avrei voluto che vedesse com'ero capace di ascoltare senza interrompere, come ci sapevo fare con un uomo della sua età. Se la madre di Milo fosse stata anche lei lì, avrebbe avuto l'occasione di conoscere il figlio che le era capitato. Ho immaginato noi due sedute vicine di fronte ai nostri figli che si confidavano liberamente.

Milo è l'ultimo di tre fratelli. La madre lo ha avuto fuori età, in menopausa. Una nascita divina, la prendevano in giro il marito e i parenti. Ma lei ci credeva abbastanza. Milo era molto bello, non rassomigliava agli altri. Parlandomene mi ha ripetuto le frasi che mi aveva già detto a casa mia, come fosse una canzone che non poteva togliersi dalla testa.

"Sento sempre la voce di mia madre: 'Com'è carino il mio bambino, il più bello di tutti, il più intelligente, dammi un bacio, vieni nel lettone, ti porto la colazione a letto...'. Poi, quando è venuta fuori la storia del professore di matematica, è stata la prima girarmi le spalle, ora non mi abbraccia. Mio padre invece non mi ha mai ferito, anche se preferisce che me ne stia per conto mio, ha paura delle reazioni di mia madre. Lei è nervosa quando vado a trovarli, si sforza di essere gentile, di farmi da mangiare. È terrorizzata che capiti per sbaglio qualche parente o amica e che facciano domande. La guardo e penso: Milo bello della mamma è morto. A letto guarda la mia fotografia sul comodino, sono sepolto nel suo cuore."

"Anche lei nel tuo."

Mi ha fissato sorpreso.

"Sì, mi sembra che mia madre sia morta."

Mi sono messa a ridere.

"E ti sei stupito che io raccontavo in giro di essere vedova!"

"Forse per questo... non ci avevo pensato."

"Da un lato è vero e dall'altro no."

"Cosa?"

"Che le cose non passano mai, soprattutto quando c'è stato un avvenimento irreparabile. Sei ferma lì, non ti sposti. Ma in realtà vai avanti, anche se non te ne rendi conto."

Mi ha sorriso.

"Infatti ci siamo incontrati..."

"Non sono tua madre."

Ha riso.

"Però mi piacerebbe, e dato che non lo sei potremmo fare anche altro insieme."

"Sei un essere anormale."

Era contento quando riusciva a colpirmi.

"Lo so, Sara."

"Posso dirti una cosa?"

"Certo!"

"Te lo chiedo perché Alex dice sempre che non lo faccio parlare."

"Ho parlato sempre io!"

"Una volta lui mi ha detto, eravamo seduti uno di fronte all'altra: 'Ti guardo, so che sei mia madre, ma non lo sento'."

"Come l'hai presa?"

"Male. Ho pensato che fosse colpa mia. Poi ho riflettuto: perché dovrebbe riconoscermi quando mi guarda? Siamo troppo vicini per vederci. Quando è lontano, il suo viso si forma dentro di me e il mio nella sua mente, allora forse ci sentiamo madre e figlio."

È rimasto in silenzio, pensava alla madre e a come lei lo immaginava quando era lontano.

"Difficile..."

"I legami intensi sono difficili, ma possono essere anche leggeri se ci pensi, se non ti fai prendere nel gorgo della tua sofferenza, se non ti compatisci: prova a vedere il rapporto con tua madre come dall'alto di un aereo o come ne scriveranno tra un milione di anni!"

"Chi ci penserà! Forse non ci saranno più madri!"

Mi ha preso la mano sulla tovaglia, sembravamo due innamorati con un gatto.

"Tu riesci a trasformare le cose pesanti, che fanno male... come le giacche che da un lato sono pesanti e dall'altro leggere..."

"Ho drammatizzato tutta la vita, predico bene... ma vorrei che Alex fosse qui e ti ascoltasse parlare di me!"

Mi sono alzata per andare a casa, lui mi ha chiesto di restare ancora un po'. Allora mi sono riseduta e Rosmarina ha ripreso la sua posizione.

Ora però Alex ha voglia di inserirsi tra noi, l'ho citato e non riesce a stare zitto.

Ma ti racconterò tutto, questa notte non vado a dormire.

Alex

È inutile chiamare mamma, ha deciso di partire e di non darci notizie. L'ha già fatto quando eravamo bambini. Dieci minuti di ginnastica e poi preparo il caffè per Jacqueline. Quanto dormono le persone! Ieri sera si è accasciata subito dopo aver fatto l'amore, cercavo di tenerla sveglia facendole il solletico, leccandole l'orecchio, l'ombelico. Rideva ma senza aprire gli occhi. Si alza tutti i giorni all'alba per vendere il pane, la sera è stanca. Se per caso succederà a me, di prendere finalmente sonno, dormirò per anni come il Bello addormentato. Le ore della notte sono molto più lunghe di quelle del giorno, senti i rumori della città avvicinarsi come le barche in mare. Sembra di essere nel silenzio del bosco, sulla riva del Lago Moraine. Andrò dal dottore comportamentale per cercare di dormire ma una parte di me non vuole chiudere gli occhi. Parlo troppo con gli altri, e anche nel silenzio non mi lascio in pace. Nel vuoto notturno di rumori, di voci, la mia non tace mai. Per più di un'ora, prima di alzarmi dal letto e girare per la casa, ho fissato Jacqueline addormentata, invidiato il suo corpo senza volontà, il respiro, la bocca semiaperta. Dove si è rotto l'incantesimo del sonno, quando?

La prima notte in quella fetida casa dello studente, con le valigie sotto il materasso per paura che me le rubassero. Me n'ero andato via da Sara e Matilde senza avvertirle, avevo lasciato un biglietto. Forse sono come mia madre, non posso dare spiegazioni. Mi ero iscritto all'università in un'altra città. Quella notte, con gli occhi aperti, non mi ero spogliato, dovevo partire il giorno dopo. Guardavo il soffitto: passavano i secondi, i minuti, le ore, non dormivo. Non ho dormito mai più. Non c'è spiegazione a tutto, è successo così, lontano da loro. Forse le due streghe della mia infanzia si sono vendicate: ci lasci e non dormirai mai più. Le vedo aggirarsi con i drappi neri, il cappello, la scopa, come si era mascherata Matilde a Halloween.

Sono scappato da loro più veloce della luce, ho pensato steso sulle valigie, e subito mi è venuta in mente la canzone della libertà, quella che fischiavo per coprire le litigate e i pianti, che cantavo da bambino a squarciagola quando sbattevo dietro le spalle la porta di casa:

> *Si trasforma in un razzo missile*
> *Con circuiti di mille valvole*
> *Tra le stelle sprinta e va.*
> *Mangia libri di cibernetica*
> *Insalate di matematica*
> *E a giocar su Marte va.*
> *Lui respira nell'aria cosmica*
> *È un miracolo d'elettronica*
> *Ma un cuore umano ha.*
> *Ma chi è?*
> *Ma chi è?*
> *Ufo Robot Ufo Robot!*

Mi sono sempre immaginato così: gigantesco uomo colorato, corna laterali, pugni di ferro, gambe enormi che avanzano scuotendo la terra. Nel cielo vola la mia astronave pronta a partire. Sotto di me il resto dell'umanità. Lancio raggi che sembrano fulmini e dai colpi degli altri mi protegge il mio scudo termico. Non posso dirlo a nessuno ma ancora oggi, quando mi vesto per andare in laboratorio, in realtà indosso la tuta che mi regalò papà a un carnevale.

Erano già separati, lui era arrivato presto la mattina per portarmi a scuola, la scatola infilata in una busta. Sara non usciva dalla cucina, non voleva incontrarlo. Papà mi guardava con gli occhi furbi.

"Cosa c'è in questa busta, chi lo indovina?"

Non ho mai più provato una felicità così, e un senso di potenza come quando ho aperto la scatola e ho tirato fuori il costume. Siamo usciti correndo col vestito nella busta, non volevo separarmene. In macchina ho chiesto a papà se potevo metterlo e andarci a scuola. Mi ha aiutato a infilarlo e tra le mani di mio padre sono diventato Ufo Robot. Mi ha trasmesso la forza di *sprintare* nel mondo, di abbandonare Sara e Matilde come aveva fatto lui.

Un anno dopo mamma voleva buttarlo.

"Non ti sta più."

"Mi sta! Mi sta!"

Gliel'ho strappato dalle mani.

"Non lo toccare!" ho urlato.

E Sara ha avuto paura di me. Da quel giorno ero uomo anche per lei, sempre merito di Ufo Robot. Steso sulle valigie canticchiavo la canzone della libertà e perdevo il sonno.

"Ciao."

Dietro le mie spalle è apparsa la panettiera portandomi il suo pane: ginocchia con la fossetta, bocca aperta in uno sbadiglio.

"Ti ho svegliato?"

"Tu chantais?"

"Sì, la canzone della libertà."

I piedi nudi sui miei, si è fatta piccola tra le mie braccia. La lascerò quando rialzerà la testa, prima che mi abbandoni lei. Ci sono segni inequivocabili, attento, sveglio, sempre pronto alla fuga negli spazi ipergalattici, Ufo Robot.

Sara e fine della notte

Il costume di Goldrake era stracciato e non gli stava più, comunque riconosco di avere sbagliato quel giorno e molti altri, gli ho dato la paura del nostro disastro. Scriverò una lettera a lui e a Matilde. Questa notte, l'ultima qui, non devo piangere. È importante che ci sia tu con me per raffreddare il distacco. Ti devo raccontare di Milo, dei nostri giorni insieme, della decisione di andare via. A te posso dire la verità: ho amato Franco più di ogni altro essere umano, ma mi mancheranno solo i miei figli. Non amo i pentimenti tardivi e non mi sento in colpa verso di loro, ho fatto quello che ho potuto. Viaggiare era il mio lavoro, forse non avrei dovuto metterli al mondo, ma sarebbe stato un peccato perché sono due esseri umani complicati e interessanti. Non sono tranquilli, ma chi se ne frega della tranquillità, cercheranno la loro strada come abbiamo fatto noi. Come sono diventata saggia! Forse la partenza imminente, la malattia. Voglio conservare fino alla fine i pensieri e questo dialogo con te. Mi sembra stanotte di aver vissuto tutta la vita per stenderla davanti ai tuoi occhi attenti, come il nastro di raso srotolato dalla merciaia di Firenze. Il nastro bianco del vestito cucito da mia madre. Un metro, due metri, tre metri...

Cosa vuol dire lasciarli e non pesare su di loro? Stesa sulla sabbia calda, ci pensavo. Milo aveva deciso di portarmi al mare.

"In un posto mio, così evitiamo di metterci nei guai, io con Leonardo e Vera e tu con i tuoi familiari. Nessuno ci vuole, nessuno ci avrà!"

Il suo posto erano delle baracche di pescatori a un'ora dalla città, su un lungomare sporco, ma non volevo deluderlo.

"Molto pittoresco, non ci ero mai stata."

Un suo amico gli aveva lasciato una casetta di legno proprio sulla spiaggia: due stanze e un cucinino in un angolo. Ho immaginato che si fosse accoppiato con uomini su quella spiaggia e forse in una delle baracche, anche se sosteneva di praticare da un po' la castità. Era felice che fossi lì con lui, aveva fatto la spesa.

"Vai in spiaggia e non pensare a niente, quando è pronto ti chiamo."

La sabbia calda s'incollava alle gambe, alle braccia bagnate, al mio corpo ancora sano e teso. La mano appoggiata sulle cosce non tremava. Quante estati potevo ancora passare con i miei figli, forse con un nipote, o con il ragazzo amico che cucinava fischiettando? Viaggi in Canada, in Africa. Quanto tempo avevo? Nei pensieri sulle decisioni da prendere s'infiltravano ricordi, intuizioni su Milo, reazioni dei figli alla mia scomparsa, tappe della malattia.

Milo mi aveva portato lì perché assolvessi la sua vita e i suoi amori. Entravo nel luogo nascosto degli incontri di una notte: luce bassa nella casa, stelle in cielo, vino bevuto, scoperta infantile del corpo dell'altro, occhi chiusi, prendimi, la sporcizia intorno non si vede, né la vergogna di essere uguali e diversi dai fratelli, dal padre, dagli amici. La madre è stesa sulla spiaggia, lui cucina per lei, apparecchierà la tavola e la farà sedere sul divano dove è stato penetrato pochi giorni fa. Non mi dispiaceva essere lì anche per questo. La sua teoria degli emarginati non mi convinceva, ma in quel posto strambo c'era il disordine della libertà.

La sabbia mi aveva fatto tornare a Simi, come sempre. Forse sarei potuta andare lì ad ammalarmi. La casa sul porto, il terrazzo dove baciandoci controllavamo i figli pescatori. Ma forse ora al posto della nostra casa c'era un albergo, l'inverno le onde del mare colpivano le mura. Freddo, umidità, chi mi avrebbe curato? Non dovevo essere romantica nel prendere la decisione.

Le baracche dei pescatori sulla spiaggia mi sembravano l'immagine della mia solitudine, non quella degli ultimi anni, dopo la morte di Giovanna e dopo che i figli erano andati via di casa, ma una condizione più antica, di tutta la mia vita, che avevo riscoperto ora. Mi venivano in mente, associati a questo sentimento di lontananza, i miei ominidi che camminavano soli verso una meta ignota. Mi ero portata il racconto, volevo finire di scriverlo prima della partenza. Dovevo partire?

Un ricordo di Giorgio mi aveva attraversato la mente, una conversazione con lui proprio nell'ospedale in cui stava morendo Giovanna. Perché finire in una stanza, vegliati dai figli che non ne possono più? Non mi sarei uccisa: non sono credente ma non voglio sparare al mio corpo come a un nemico. Avevo ripensato al cardinal Martini e alla sua scelta di andare a Gerusalemme. Neanche l'Africa era il posto per me, anche se tutta la vita lo era stato. La stanza col letto di ferro, i vestiti sul pavimento, le scarpe coperte di polvere erano tracce di giovinezza e di lavoro. Ora entravo in un tempo sconosciuto. Mi mancava Giovanna, mi avrebbe preso in giro per il tremore, si sarebbe inventata dove portarmi. Inno all'amicizia! Due lacrime mi stavano spuntando agli angoli degli occhi chiusi, quando per fortuna Milo mi aveva chiamato dalla casa.

"La signora è servita."

Aveva superato la cena a casa sua: spaghetti con le vongole, pesce al forno. L'angolo della cucina era ingombro di pentole e Rosmarina leccava avidamente il pavimento. Abbiamo mangiato e chiacchierato dell'amico che abitava la casetta. Su una mensola c'erano delle barche da pesca in miniatura, la fotografia di un uomo anziano con un trofeo di pesca.

"Il nonno e la spigola. Non era un pescatore, faceva l'avvocato e un giorno ha detto basta. Ha venduto tutto, comprato questa baracca e ci ha vissuto fino alla morte. Il padre del mio amico l'ha lasciata a lui perché è pescatore come il nonno."

"Milo, cerco di capire dove devo andare."

"Perché devi deciderlo ora? Mettiti in viaggio come hai sempre fatto, poi vedi."

"E Matilde, Alex?"

"Li hai abituati bene quando erano piccoli. Forse Matilde ha bisogno solo di questo, che tu te ne vada. Semmai cercherà un'altra madre, come ho fatto io."

"Se lascio lei lascio anche te, non ti fare illusioni."

Si è messo a ridere.

"Lo so, Sara. C'è una sola persona che non lascerai mai."

L'ho guardato interrogativa. Mi ha risposto subito.

"Franco."

"Ci siamo già lasciati."

"Credi?"

"Che vuoi dire?"

"Un silenzio così lungo è più forte di qualsiasi legame, altrimenti vi sareste parlati del più e del meno, come tutti."

Mi veniva da ridere, ora era lui che dava a me lezioni e consigli. Però l'idea di mettermi in viaggio senza una meta definitiva mi sembrava molto attraente.

"Poi vedi," aveva detto.

Intendeva finché ce la fai a muoverti. E bisognava anche liquidare il lavoro in modo da avere i soldi per sopravvivere. Milo era ormai lanciato nell'analisi della mia vita.

"Tu e Franco non avete avuto il coraggio di restare insieme. Lui si è sposato una donna giovane, ci ha fatto un figlio."

"E io?"

"Tu hai scopato in giro senza darti a nessun altro. Troppo facili tutte e due le cose."

"Senti chi parla di strade facili!"

"La mia non lo è, Sara. Avrei potuto sposarmi con la ragazza che mi piaceva senza dirle niente, fare anche un bambino e scopare sul divano dove sei seduta con ragazzi occasionali. Molti lo fanno. Ho scelto la strada più complicata..."

"E quale sarebbe la mia strada, ora che sono malata e voglio andarmene?"

"Rimetterti con Franco."

Sono scoppiata a ridere, per un attimo ho pensato di avere Matilde davanti a me, che finalmente aveva espresso ad alta voce il desiderio della sua vita: il padre e la madre di nuovo insieme.

"Non dico rimettervi a vivere insieme! Solo ricominciare a parlarvi."

"Perché? A cosa mi serve?"

Mi aveva guardato, aveva sollevato Rosmarina dal pavimento e se l'era sistemata in braccio.

"Cosa può fare Franco per me?"

La domanda mi era uscita come un lamento, mi si era strozzata la voce. Milo era rimasto zitto. Avevamo continuato a mangiare in silenzio. Poi gli avevo chiesto:

"Lo sai qual è la zona del cervello colpita nel morbo di Parkinson?".

Mi aveva risposto col tono dello studente interrogato all'esame:

"La sostanza nigra che produce la dopamina... serve alla fluidità dei movimenti, all'umore, all'attenzione e a molte altre cose...".

"Hai studiato bene. Gli animali soffrono di Parkinson?"

"Sì, i cani soprattutto."

"La sostanza nigra sta nel mesencefalo, la zona poco sopra la nuca."

Me l'ero massaggiata come avessi potuto guarirla col tocco delle mani.

"È la parte antica del cervello e la meno sviluppata, quella che abbiamo in comune con gli esseri più elementari. La mia si è inceppata, non produce dopamina. Ho passato la vita a studiare il momento in cui siamo diventati bipedi e la corteccia del nostro cervello si è allargata a dismisura, e abbiamo iniziato a parlare. E ora mi ammalo nella parte meno evoluta del cervello e a poco a poco smetterò di camminare e parlare. Come ti sembra?"

Mi fissava senza riuscire a dirmi niente. Rosmarina gli ronfava felice in grembo. La cura aveva funzionato.

"Speriamo che il dottore comportamentale riesca a fare ronfare anche Alex."

Eravamo scoppiati a ridere.

"Tu resterai in piedi, Sara, non ti atterra nessuno."

Avevamo riordinato la cucina e ci eravamo addormentati sulla spiaggia che si era riempita di ombrelloni, bambini e famiglie. Poi la sera eravamo andati al cinema nel paese vicino. La luce della nostra baracca nel buio senza luna ci era venuta incontro al rientro. La spiaggia di sabbia fresca sembrava bella e misteriosa nella notte. Con un bicchiere di vino, guardavamo le stelle.

"Niente è definitivo, Sara. Ora te ne vuoi andare e puoi farlo. I tuoi figli sono cresciuti, sei libera."

"Lo sono stata tutta la vita... anche se non avrei mai immaginato di dover vivere senza Franco."

Si era voltato verso di me con impeto.

"Lo vedi che ho ragione!"

Ero caduta nella trappola.

"Quante volte lo pensi in una giornata?"

"Certe volte nemmeno una."

Si era alzato in piedi e mi sovrastava.

"Io ti aiuto, lo incontro, gli racconto tutto, se vuoi parlo anche con Alex e Matilde. Ma tu mi devi fare un favore, anzi due!"

Era bello, mi fissava con gli occhi decisi da ragazzo.

"Vuoi saperli?"

Avevo annuito.

"Gli scrivi una lettera in cui gli dici che vai via e che vuoi dirlo solo a lui perché è l'uomo della tua vita."

"Ci vomiterà sopra."

"Tu sottovaluti i sentimenti degli uomini, si preoccuperà tantissimo invece."

Avevo sorriso.

"Ti fa piacere se soffre un po' per te, eh? Vuoi sapere l'altro favore?"

"No."

"Con me resti in contatto per sempre!"

"E chi sei tu per me?"

"L'ultimo figlio, quello che ti è venuto male."

Siamo rimasti una settimana nella baracca assediata dagli ombrelloni di giorno e deserta di notte. La sera scrivevo il racconto, che ora mi era chiaro in tutte le sue parti. Le parole non venivano fuori solo dalla storia millenaria a cui avevo lavorato tutta la vita, ma dal profondo di me stessa, dalla mia esperienza, pochi decenni, metri di nastro misurabile, ma incommensurabile e infinito prima di essere tagliato.

Milo faceva la spesa, cucinava. Fischiettava contento, con la mia presenza avevo benedetto quel posto. La sera facevamo grandi conversazioni su noi stessi, sui legami familiari, sul suo lavoro, sul mio. Gli lavavo le magliette e le stendevo al sole dietro la baracca. Le fissavo con vecchie mollette che avevo trovato in un cestino. Le guardavo oscillare, sembravano le magliette di Alex, mi parlavano col linguaggio del vento:

"Non dimenticare niente...".

Chiamavo Matilde la sera, non le avevo detto che ero al mare. Alla fine della telefonata le mandavo baci, come dall'Africa, e riagganciavo prima che ci venisse da piangere.

Una notte, forse la penultima, Milo è venuto nel mio letto a consolarmi. Aspetta, non hai capito niente, non ti fare idee! Piangevo e lui mi ha sentito, è entrato nella stanza senza bussare, si è infilato nel letto come faceva Matilde. Mi ha abbracciato, mi accarezzava la testa, mi sentivo molto Rosmarina. Le parole delle conversazioni erano sparite, come mi sarebbe successo in un futuro non troppo lontano per via della malattia. Allora ho usato solo quelle del mio dolore.

"Matilde, la mia bambina, vorrei che avesse un figlio. E che Alex potesse dormire una notte tranquillo, e Franco amarmi più di ogni cosa che ci è capitata. Vorrei non essere malata."

Mancava una settimana alla fine delle vacanze, al rientro della portiera, alla decisione che dovevo prendere. Mi sembrava impossibile riuscire a fare le valigie, lasciare il mio appartamento, scrivere lettere all'università, ai figli, decidere la prima tappa, salutare Alex e Matilde senza incontrarli, senza poter dire loro a voce che ero malata.

Una notte ho sognato Franco. Le sue mani toccavano gli oggetti della mia casa, le carte, le tazzine, gli occhiali, il letto. Mi sono svegliata e l'ho sentito accanto a me, *oltre la storia che ci era capitata*, come avevo detto a Milo. Cerca di capirmi, non ero sicura che volesse aiutarmi, essere al mio fianco nella buona e nella cattiva sorte. Neanche che mi considerasse ancora parte della sua vita. Forse il sogno era venuto fuori dalla solitudine del mese che avevo passato, dai pensieri, dall'incontro con Milo, dalla malattia.

Avevamo chiuso le valigie, mangiavamo i resti che lui aveva sistemato con grazia nei piatti.

"Se gli scrivi subito che non stai bene, si spaventa."

Gli avevo risposto con la sua stessa battuta.

"Tu sottovaluti i sentimenti degli uomini."

"No, ma hanno paura della malattia. Quando mia madre è stata operata al cuore, mio padre e i miei fratelli facevano parlare me con i medici, avevano paura di affrontare la situazione."

"Perché sei medico anche tu..."

"Figurati, un veterinario! E poi non hanno mai considerato molto la mia scelta professionale. Ero solo meno uomo di loro, dunque meno impaurito dalla fragilità materna."

Il mio terzo figlio è intelligente e sensibile.

Così sono tornata a casa e ho iniziato a preparare la partenza. Ho telefonato a Matilde e l'ho avvisata che mi sarei isolata per scrivere la fine del racconto. Ho parlato con Alex l'ultimo giovedì del mese. E mi sono scelta il punto da cui potevo osservare l'arrivo di Franco dopo la telefonata di Milo, la sua visita nella mia casa, la reazione alla lettera.

Dai terrazzini ho attaccato discorso con la badante della scala c: il tempo, le vacanze, il marito lontano, i figli, il malato di cui si occupa. Mi ha invitato a prendere un caffè da lei perché non voleva lasciarlo. Tutto l'appartamento ruotava intorno alla camera dell'uomo senza mente. All'ingresso c'erano due sedie a rotelle che ormai non usava più. Al centro della sua stanza, il letto d'ospedale con le sbarre alte sembrava un altare e lui – scheletrico, occhi trasparenti, mani scarnificate – il sacrificio al Dio della sopravvivenza. Asciugandogli la bava dalla bocca, mi ha detto:

"Non muore e non vive".

Abbiamo bevuto il caffè, le ho chiesto se un giorno voleva uscire un po', col malato ci sarei stata io, avevo da scrivere. Ha accettato subito, con un sorriso di pura felicità.

Così ieri, dal terrazzino del vicino, ho visto entrare Franco con le chiavi della mia casa. Mi batteva il cuore: avrebbe avvertito i figli, chiamato la polizia, o invece dopo tanti anni avrebbe di nuovo accettato di condividere un segreto con me? Ti confesso che non ero in ansia solo per questo, era da tempo che non lo vedevo fare qualcosa per me. Se mi avesse aiutato sarebbe stata una prova. Non chiedermi di cosa, non lo so neanche io, forse di un legame tra noi più forte dell'amore.

Immagina: davanti agli occhi avevo la finestra, il cortile deserto che lui aveva appena attraversato. Dietro le spalle il respiro dell'uomo, lento e faticoso come il pendolo di un orologio, scandiva i secondi della sua non vita, l'ansia della mia che aveva cambiato direzione, il tempo di Franco mentre entrava in casa, prendeva la lettera, decideva... Dalle finestre, come in un lampo, l'ho visto entrare nella mia stanza, in cucina. Era tutto in disordine, avrà pensato che aveva fatto bene a lasciarmi. Poi è ripassato nel cortile, camminava veloce, si è fermato davanti alla guardiola della portiera, è uscito nella strada, scomparso.

Mi sono seduta accanto al letto del malato, le biglie slavate degli occhi, nelle caverne nere delle orbite, guardavano lontano un punto senza realtà. E lì, ti stupirai, di fronte al futuro che mi aspettava, che ci aspetta tutti, ho rivissuto un'incredibile scopata con Franco, tanti anni prima.

Dopo una cena in un ristorante, in una zona lontana della città, avevamo bevuto molto e non riuscivamo a ritrovare la macchina. Le strade si erano allungate, ristrette, avevano cambiato nome, sconosciute. Persi, ci ritrovavamo sempre al punto di partenza. Ridevamo e ci baciavamo, sconnessi, all'improvviso presi da un desiderio di fare l'amore lì, non sapevamo dove.

In uno spiazzo, tra due auto posteggiate, Franco si è tolto la giacca prima di farmi stendere, mi ha sfilato le mutande, gli ho tirato fuori dai pantaloni il pene duro, non c'erano altri contatti, ho chiuso gli occhi, ci siamo precipitati nello stesso corpo, fuori dal tempo, dallo spazio.

Ho preso la mano gelata del malato, l'ho chiusa tra le mie per far sentire anche a lui la forza di quel ricordo. Ho sperato che Franco non mi abbandonasse.

E poi sono tornata a casa e ti ho raccontato tutto. Le valigie sono pronte all'ingresso, anche io qui seduta al tavolo della cucina. Domani mattina Milo viene a prendermi presto, l'ultima notte ho voluto passarla da sola con te. Sarebbe bello se tu potessi dirmi una parola, una sola.

Franco e Lucy

Quella notte il vulcano aveva cominciato a eruttare lapilli e cenere, illuminava di luce rossa la pianura, gli alberi radi, gli esseri spaventati che spuntavano dalle rocce e dai cespugli urlando. Hadza si era alzato e aveva raggiunto gli altri, l'aveva lasciata sola sotto la roccia che ora era la loro casa. Lucy stringeva il piccolo, li avrebbe abbandonati lì: nel pericolo non voleva averla tra i piedi, si riuniva ai suoi compagni di gioco e di lotta. Il cucciolo si dimenava tra le sue braccia, voleva allontanarsi. Camminava meglio degli altri per la malformazione al piede, come lei. Lucy lo stringeva, urlava, gli dava colpi sulla bocca come quando lui le mordeva il capezzolo, ma il cucciolo ora era forte. Lo aveva nutrito con carne delle carcasse abbandonate dai leopardi, staccando gli ultimi lembi con i denti, aveva digiunato per farlo crescere. Ma da sola non poteva salvarlo dal tuono del vulcano, dal tremore della terra che inghiottiva alberi, animali, altri di loro. Hadza era il migliore, non doveva perderlo: ballava in un modo solo suo, le braccia ruotavano intorno al corpo, i piedi battevano sulla terra, chiudeva gli occhi e si dimenava, una forza lo percuoteva da dentro, come il vulcano. Non l'aveva più battuta, dopo la prima volta, né lei né il cucciolo. Anche se per riconoscerlo ci metteva ancora tempo, lo scansava nel sonno e c'era stato il rischio che lo uccidesse. Ogni volta che sentiva l'odore della minaccia antica, Lucy si metteva a quattro zampe, pronta per essere penetrata o igno-

rata. Così lui tornava a ballare, a urlare e a lasciarli vivere. C'era un nuovo frullo nel suo ventre, ci sarebbe stato un altro cucciolo sul suo fianco, avrebbe dovuto nutrirlo, per questo il primo doveva camminare sulle sue gambe, e Hadza doveva proteggerlo. Si tirò in piedi, distese tutte le vertebre, respirava. Posizionò saldamente il cucciolo sul fianco. Lui batteva i piedi: "Vai, vai!". Invece doveva avvicinarsi a lui. Quando erano in branco il pericolo cresceva, si davano spinte, si mordevano, rotolavano nella polvere, e poi stremati sedevano uno accanto all'altra. Nessuna femmina si avvicinava a loro, ma Lucy sentiva di non avere scelta.

Hadza era nel centro di un gruppo numeroso, lei lo distingueva dagli altri, aveva un proprio modo di dondolarsi simile al ballo. I loro occhi non si erano mai incrociati. Lucy i suoi li teneva bassi sul cucciolo, sui piedi, e lanciava sguardi in giro per controllare ogni cosa. In lontananza, verso il vulcano, la terra si apriva. Dal branco e dai gruppi sparsi sulla piana salivano urla di terrore, ma nessuno si muoveva. Il calore aumentava, come il sole fosse caduto sulla Terra e avesse spento il fresco della notte per sempre. Lucy era ferma a dieci passi da Hadza, gli altri le urlavano contro, scagliavano pietre, saltavano minacciandola. Lui non si muoveva, le dava le spalle ma si era fermato, non si dondolava più. Lucy si avvicinò ancora, una pietra la colpì sulla spalla, un'altra prese il cucciolo che urlò di dolore. Hadza si tirò in piedi, uscì dal gruppo, venne verso di lei saltellando. Gli altri dietro le sue spalle si placarono. Lui ora la sovrastava. Prima di mettersi a quattro zampe con il piccolo, lei alzò gli occhi, in un lampo incrociò quelli di lui: odori, movimenti, rumori, pericoli, paure, albero, carne, semi, vulcano, cucciolo, latte, frullo, ballo, pene, genitali, sangue, per una frazione di secondo furono di Lucy e di Hadza. Si stese a terra lentamente, il cucciolo mugolava piano. Vide le gambe e i piedi di lui camminare in avanti, allontanarsi. Si rialzò e gli andò dietro seguendolo a pochi passi di distanza. Camminarono tutta la giornata, fermandosi a raccogliere semi.

Il tuono del vulcano si allontanava. Non si voltarono, non vi-
dero gli animali, la vegetazione, gli altri sparire nella voragine
della fine del loro tempo. Dormirono senza saperlo nella prima
notte nuova.

Prima di ogni altro pensiero, il racconto mi sembra buono. Rimetto le pagine nella cartellina, infilo nella tasca della
giacca le lettere per i figli. Evito facili associazioni tra me,
Sara, il testo, anche se sono sicuro che lei lo ha lasciato per
me. Dalla finestra il sole è di nuovo alto, non piove più. Mancano ancora ore all'appuntamento. Giorgio mi aspetta a casa
sua, abbiamo deciso di andarci insieme. Al telefono mi ha
parlato di nuovo della seconda Sara Fiore. Mi sembrava uno
scherzo, ma era serio, mi ha detto che la vita ha strani colpi
di coda e che quella donna lo interessa.

Avvicinandomi alla finestra sento la sua presenza, come
prima sul letto, ma ora la casa è tranquilla, forse perché fuori c'è il sole. Quei tre che dormono nella notte nuova, dopo
l'esplosione del vecchio mondo, mi hanno messo calma. Ora
vorrei incontrarla, sapere se è invecchiata, darle un bacio su
una guancia e chiederle qual è il problema, perché non ci
siamo parlati per anni, perché non è qui a raccontarmi tutto.
La fine della storia tra Lucy e Hadza mi ha tolto ogni preoc-
cupazione. Una donna che ha scritto una storia così aperta
sul futuro non può essere malata. Mi sento stranamente fiero
che il racconto sia convincente. È stata mia moglie, l'ho scelta bene, una donna complicata, difficile come diceva mio
padre, ma nuova, come la notte. E se qualcuno scriverà la
nostra storia, potrà dire di me: non ha avuto paura di amarla.

Sara e tu

Sapevo che non mi avresti lasciata, non ne ho mai dubitato. Ho girato un po' il mondo e mi sono fermata in questa città. Siediti accanto al letto, è bello il posto, no? Ci hai messo molto a trovarlo? Ti preparo subito il caffè, qui è piccolo ma ho tutto quello che mi serve. Non ti preoccupare: una donna viene ad aiutarmi, anche se per il momento riesco a fare da sola. La città è grande ma vivo soprattutto nel quartiere, ormai mi conoscono. Faccio la spesa, mi fermo a fare colazione al bar, a leggere. Ho due amiche, una l'ho conosciuta nella lavanderia a gettoni e l'altra in un cinema. Ora a vedere i film ci andiamo insieme. Una mano trema più dell'altra ma riesco a scrivere al computer, anche se più lentamente. Troppo lentamente per rispondere a tutte le mail che mi arrivano. Ti rassicuro subito sulla mia solitudine: non sono mai stata tanto in contatto con la mia famiglia come da quando sono partita.

Matilde mi scrive tutti i giorni, so i cibi che mangia a pranzo e a cena, il colore della camicetta che si è comprata, i tentativi di inseminazione. Le scrivo di me, dei miei pensieri, dei film che ho visto, dei libri. Parliamo liberamente della malattia e anche della morte, sì, anche della mia fine.

Se ho avuto paura una notte, glielo scrivo e lei mi rassicura che è pronta a partire in ogni momento. È materna e protettiva con me. I primi tempi insisteva per sapere dov'ero, voleva che mettessi Skype così poteva vedermi. Le ho spiegato che era proprio questo che cercavo di evitare. Mi ha detto che non ce la faceva a non vedermi mai più, a pensare che ero da qualche parte sola e malata. Le ho mandato una fotografia scattata da un passante davanti a un muro bianco. Mi ero lavata i capelli, vestita bene, sorridevo. Ora rispetta la mia decisione e la sento contenta. A te posso dire la verità: mi sembra che si sia liberata del mio fardello. Con la mia partenza i ruoli tra lei e il fratello si sono di nuovo invertiti.

Alex non sa quanto gli sono vicina in linea d'aria. Ha reagito in un modo che non mi aspettavo. Mi ha scritto che dopo tutto quello che gli avevo fatto passare nell'infanzia, i viaggi, le assenze, non avevo il diritto di andarmene di nuovo. Ho replicato che anche lui era fuori e che avevo deciso di non pesare su di loro nel corso della malattia. Ora mi scrive due o tre volte la settimana. Non della sua vita, ma incredibilmente della sua infanzia, del modo in cui mi vedeva, dei ricordi col padre, delle vacanze, dei Natali, della separazione, lui che non voleva più parlarne. Forse è il suo medico comportamentale che lo spinge a farlo. Mi pare di essere in Africa e di corrispondere col mio ragazzino lontano. Conservo le lettere e le rileggo al bar o la sera, tanti dettagli si capiscono solo se passi e ripassi sulle parole, se lo immagini a scrivere nella sua casa canadese. Per esempio una frase come questa:

Quando eri a Laetoli, soffrivo perché pensavo che tu stessi male senza di noi. Non potevo accettare l'idea che avessi lasciato volontariamente un bambino splendido com'ero io.

197

Intanto si sentiva un bambino splendido, e dunque l'insicurezza che Franco vedeva in lui non è così certa. E poi ha ragione: stavo male senza di loro, eppure me n'ero andata volontariamente. Ci siamo scritti molto su questo, polemizzare con me lo diverte sempre. Della malattia non parla mai.

Il mio terzo figlio venuto male si è laureato, vive sempre con Rosmarina che è diventata la padrona di casa, lavora e ha rinunciato alla castità. Meglio così, penso si stia specializzando, gli anni dell'incertezza sessuale sono passati, è diventato un omosessuale normale. È l'unico dei tre che non si rassegna all'idea di non venire qui, me lo propone a ogni lettera. Mi scrive che è sicuro che glielo impedisco perché ho raccontato a tutti di essere una vedova senza figli e ora non posso tornare indietro.

Certe sere sogno di farli venire, di abbracciare Matilde, di accarezzare la mano di Alex, ma non potremmo più lasciarci e la malattia va avanti. Allora me li metto accanto nel letto, una a destra e l'altro a sinistra, come quando da bambini gli leggevo il libro prima di dormire.

La malattia mi chiude dentro il mio corpo come in una cassaforte, ma i pensieri volano ancora liberi fuori di me. I medici dicono che col tempo diventeranno sempre più scoordinati e irreali, allora penso che mi riavvicinerò ai miei ominidi, e quando verrà il momento forse andrò in un posto dove ti insegnano tutto da capo.

Con Franco non ci scriviamo. Non voglio che abbia problemi con la moglie e il figlio, ce lo siamo detti al telefono. Mi chiama il secondo mercoledì di ogni mese, alle cinque e mezzo del pomeriggio. Apparecchio la tavola con le tazze da tè, i biscotti, mi siedo e aspetto la sua voce amata, lontana e vicina com'è sempre stata. Mi puoi lasciare, lui solo sa sempre dove sono.

Grazie della compagnia, della tua presenza silenziosa, ora fai parte anche tu della mia vita.

Aspetta!, un'ultima cosa: su facebook mi ha chiesto l'amicizia una mia omonima, sembra sapere molte cose di me e mi chiede consigli su un uomo. Ma mi sembra tutto troppo strano per risponderle.

Indice